— Les terres maudites —

Tome 1

— Les terres maudites —

Tome 1

STÉPHAN BILODEAU

RÉMY HURAUX

ADA JEUNESSE

Éditeur : François Doucet
Révision linguistique : Daniel Picard
Révision : Nancy Coulombe, Katherine Lacombe
Design de la couverture : Tho Quan
Illustrations : Mylène Villeneuve
Mise en pages : Sylvie Valois
ISBN papier : 978-2-89667-489-3
ISBN numérique : 978-2-89683-234-7
Première impression : 2011
Dépôt légal : 2011
Bibliothèque et Archives nationales du Québec
Bibliothèque Nationale du Canada

Éditions AdA Inc.
1385, boul. Lionel-Boulet
Varennes, Québec, Canada, J3X 1P7
Téléphone : 450-929-0296
Télécopieur : 450-929-0220
www.ada-inc.com
info@ada-inc.com

Diffusion
Canada : Éditions AdA Inc.
France : D.G. Diffusion
Z.I. des Bogues
31750 Escalquens — France
Téléphone : 05.61.00.09.99
Suisse : Transat - 23.42.77.40
Belgique : D.G. Diffusion - 05.61.00.09.99

Imprimé au Canada

SODEC

Participation de la SODEC.
Nous reconnaissons l'aide financière du gouvernement du Canada par l'entremise du Programme d'aide au développement de l'industrie de l'édition (PADIÉ) pour nos activités d'édition.
Gouvernement du Québec - Programme de crédit d'impôt pour l'édition de livres - Gestion SODEC.

Vous pouvez maintenant visiter notre petit monde en vous rendant sur le site Web suivant :

www.avdj2.com

Ou sur notre forum :

www.SeriesFantastiques.com

Remerciements

Tout d'abord, un immense merci aux autres membres de l'équipe *À vous de jouer 2* : Cédric Zampini et Gilles Saint-Martin. Bien que sur chaque tome soit crédité deux auteurs, les autres écrivains de la série ont également aidé à divers niveaux. Merci chers collègues.

Nous aimerions aussi remercier Mylène Villeneuve, dont les fantastiques illustrations illuminent ce tome.

Et pour terminer, un merci particulier à notre merveilleuse équipe de testeurs soit :

Louis-Pascal Bombardier (youko999)
Antoine Leclerc (antoine)
Elise Sirois-Paradis

Frédéric Roberge (pon349)
Patrick Labonté (BartCode)
Émanuelle Pelletier Guay (Zozo)
Chantal Lambert (AdriaNadorg)
Marc-Olivier Deschênes (Huntermeca)
Alexandre Dumont (LDD_Fan)
Sébastien Thomas Claude Mompéo (seb le français)
Marie Bombardier (Alizée)
Carla Klinger
William Bolduc (mordio7)
Rick Ouellet (R.O)
Marguerite Audet Yelle (sirendenvel)
Maxence Harbour (Maxence)
Émilie Nadeau (Timilie)
Michel Giroux
Dominic Turcotte
Jessyca Bilodeau
Bianca Bilodeau

Table des matières

Mot de bienvenue

Bienvenue dans le monde fantastique d'*À vous de jouer* 2. Vous allez vivre de merveilleuses aventures dont vous, et vous seul, serez le personnage principal.

Pour cette aventure, vous aurez besoin de deux dés à six faces, d'un bon sens du jugement et d'un peu de chance.

En premier lieu, vous devrez créer votre personnage. Vous pourrez être un guerrier, une guerrière, un archer, une archère, un magicien, une magicienne, un druide ou une druidesse. Choisissez bien, car chaque personnage a ses propres facultés (le chapitre suivant vous expliquera la marche à suivre). Si vous êtes un habitué de la collection *À vous de jouer,* vous verrez qu'il y a quelques changements.

Le charme de cette série réside dans votre liberté d'action et dans la possibilité de retrouver votre héros et votre équipement d'un livre à l'autre. Bien que cet ouvrage soit écrit pour un joueur seul, si vous désirez le lire avec un partenaire, vous n'aurez qu'à doubler le nombre de monstres que vous rencontrerez.

Maintenant, il ne nous reste plus qu'à vous souhaiter une bonne aventure !

La sélection du personnage

Avant de commencer cette belle aventure, vous devez choisir votre personnage. Il ne vous est malheureusement pas possible d'utiliser ceux de la première série *À vous de jouer !*

Vous trouverez un modèle de fiche de personnage en annexe. Voulez-vous être guerrier, guerrière, archer, archère, magicien, magicienne, druide ou druidesse ? C'est à vous de choisir…

Il est possible de jouer un héros ou une héroïne, mais les accords de la langue française n'étant pas aussi simples que ceux de la langue anglaise, nous avons écrit les aventures pour un héros masculin. Mais cela n'empêche pas les filles de jouer un personnage féminin tout de même.

Vous découvrirez également de nombreuses fonctionnalités sur notre nouveau site Web (www.avdj2.com).

DEXTÉRITÉ

Détermine votre coordination physique, votre aptitude à manier les armes, votre souplesse et votre équilibre. Elle est utilisée pour calculer l'habileté des guerriers.

PERCEPTION

Détermine votre aptitude à utiliser vos cinq sens. Elle permet d'utiliser les armes à distance plus facilement (visée, vitesse et sens du vent…). Elle est utilisée pour calculer l'habileté des archers.

SAVOIR

Détermine l'importance de vos connaissances et votre capacité à vous en rappeler (pour des formules magiques, par exemple). Elle est utilisée pour calculer l'habileté des magiciens.

ESPRIT

Détermine votre aptitude à exploiter la puissance de votre âme (pouvoirs psychiques) et celle de la vie (guérison). Elle est utilisée pour calculer l'habileté des druides.

POINT DE VIE (PV)

Ce total représente votre force vitale. S'il atteint zéro ou moins, vous êtes mort ! Votre valeur maximale évoluera avec votre niveau.

Au départ, le guerrier et l'archer ont 50 PV ; le magicien et le druide en possèdent 45.

CHANCE

Certains naissent sous une bonne étoile, alors que d'autres sont marqués par la fatalité… Votre chance évoluera au hasard de vos jets de dés (voir la section « test de chance »). Vous commencez avec une valeur de 7.

HABILETÉ

Elle détermine votre aptitude à combattre avec vos propres compétences. Elle est établie en fonction de la classe de votre personnage et de son équipement (voir la section « Les combats » pour son utilisation).

ÉQUIPEMENTS

Chaque classe de personnage possède son propre équipement. Vous en trouverez lors de vos aventures ou en achèterez dans les boutiques. Au début de cette aventure, le héros est invité à passer à la boutique de Wello avant son départ.

Vous pouvez avoir jusqu'à huit pièces d'équipement simultanément (tête, cou, corps, main gauche, main droite, anneau gauche, anneau droit, pieds).

Vous aurez des malus en combat si vous n'avez pas d'armes ou pas de protection de corps (voir la section « Les combats »).

OBJETS

Vous possédez un sac à dos pouvant contenir jusqu'à 30 objets. Si vous dépassez ce maximum, vous devrez jeter des objets pour faire de la place.

TALENTS

Vous démarrez l'aventure avec un talent particulier de votre classe que vous ne pouvez utiliser qu'une fois (il y aura des moyens de le régénérer). À chaque niveau pair (2, 4, 6, 8 et 10), vous obtiendrez un nouveau talent. Ces premiers talents sont des talents d'assaut (TA). Voici le talent de départ de chaque classe :

GUERRIER / GUERRIÈRE	
HARGNE	NIVEAU 1
Agressivité passagère qui augmente les dégâts infligés de 5 points lors d'un assaut.	
ARCHER / ARCHÈRE	
ESQUIVE	NIVEAU 1
Extrême rapidité qui permet d'éviter les blessures pendant 2 assauts.	
MAGICIEN / MAGICIENNE	
FOUDRE	NIVEAU 1
Foudroie l'adversaire et lui inflige 10 points de dégâts.	
DRUIDE / DRUIDESSE	
SOINS	NIVEAU 1
Vous gagnez 10 points de vie et guérissez le statut empoisonné). Ce talent s'utilise à n'importe quel moment de l'aventure, même en combat.	

OR ET ARGENT

Dans cette nouvelle série, nous avons ajouté des pièces d'argent en plus des pièces d'or habituelles. Le taux est de 100 pièces d'argent pour 1 pièce d'or.

Au départ, le héros possède 50 pièces d'argent.

Quelques règles

LES BOUTIQUES GÉNÉRALES

Elles se situent dans la grande ville de chaque baronnie. On y trouve beaucoup plus d'objets que dans les boutiques locales et leurs propriétaires sont de fins connaisseurs. Vous pourrez vous y procurer un objet en payant le montant indiqué. Vous pourrez aussi vendre un objet en échange de la moitié de sa valeur. Ces boutiques sont accessibles dans les aventures et sur le site internet.

LES BOUTIQUES LOCALES

Elles se trouvent dans les villages que vous traverserez. Vous pourrez y acheter autant d'objets que vous voudrez, tant que vous avez de quoi payer, bien sûr ! Les marchands locaux peuvent aussi racheter les objets à la moitié de leur valeur.

LA CARRIOLE « CHEZ PIT »

« Pit » est le diminutif de Peter, un vieux héros reconverti en marchand ambulant. Bien qu'il soit très vieux, il promène sa carriole tout le temps à travers les baronnies. Vous verrez souvent des objets pittoresques en sa possession.

LES POTIONS

Les potions sont importantes dans ce jeu. Assurez-vous d'en avoir toujours dans votre équipement. Elles permettent de regagner les points de vie que vous avez perdus au combat. Rappelez-vous que vous ne pouvez jamais dépasser votre total initial de points de vie.

Vous pouvez vous servir des potions à tout moment, même en cours de combat, sans être pénalisé.

LA MORT

Comme nous l'avons mentionné, vous êtes déclaré mort quand vos points de vie tombent à zéro ou si le texte vous le dit. Dans ce cas, vous devez absolument recomposer un personnage et recommencer le jeu au début. Certains objets peuvent aussi vous éviter la mort. À vous de les trouver !

LE TEST DE CHANCE

Lorsque l'on vous demande d'effectuer un test de chance, lancez deux dés. Si le résultat est égal ou inférieur à votre total de chance, vous êtes chanceux ; si cette somme est supérieure à votre total de chance, vous êtes malchanceux.

Résultats critiques : si vous faites 2 (double un), vous serez toujours chanceux et votre total de chance augmentera d'un point. Si vous faites 12 (double six), vous serez toujours malchanceux et votre total de chance diminuera d'un point.

Exemple : vous avez un total de chance de 5. Vous lancez les deux dés et...

- Cas 1 : vous obtenez un total de 4, donc vous êtes chanceux, car c'est inférieur à 5.

- Cas 2 : vous obtenez un total de 2, donc vous êtes chanceux ET votre total de chance augmente d'un point (il passe à 6). La prochaine fois qu'il y aura un test de chance, vous serez chanceux sur un résultat de 2 à 6 aux dés.

LE TEST DE CARACTÉRISTIQUES

Le succès d'une action dépend de vos compétences, mais aussi des conditions dans lesquelles elle se déroule. Dans ce cas-là, un test de caractéristiques permettra de trancher. Pour réussir, vous devrez égaler ou dépasser un niveau de difficulté (ND) imposé par le texte en additionnant vos points dans la caractéristique à tester et le résultat d'un lancer de dé. Des bonus ou malus pourront modifier ce total.

Exemple : dans un campement de voleurs, vous espionnez un groupe qui chuchote. On vous demande de faire un test de perception avec un ND de 5. Le dé fait 3…

- Si vous êtes l'archer avec 3 en perception, votre résultat est de 3+3=6.

Comme 6 est plus grand que le ND de 5, vous entendez les gredins fomenter un plan pour attaquer le village.

- Si vous êtes le druide avec 2 en perception, votre résultat est de 2+3=5. Vous égalez le ND, et vous entendez les gredins fomenter un plan pour attaquer le village.
- Si vous êtes le magicien avec 1 en perception, votre résultat est de 1+3=4. Comme 4 est plus petit que 5, vous n'entendez rien.
- Si vous êtes le guerrier avec 1 en perception, vous vous êtes rapproché plus près de la conversation, ce qui vous confère un bonus exceptionnel de 2 pour ce test. Par conséquent, le résultat de votre lancer de dé devient 1+3+2=6. Comme 6 est plus grand que 5, vous entendez les gredins fomenter un plan pour attaquer le village.

LES STATUTS

Lors de vos aventures, vous risquez d'être empoisonné par des plantes ou des créatures. De même, vous risquez de recevoir des malédictions venant d'objets maudits ou de créatures démoniaques.

- Sain : c'est le statut que vous avez au début de l'aventure. Ce qui veut dire que vous n'avez aucun malus.
- Empoisonné : le poison paralysant ralentit vos mouvements. Vous perdez 5 points d'habileté tant que vous ne vous êtes pas soigné.
- Maudit : vous ratez automatiquement vos jets de chance et de caractéristiques (ne lancez pas les dés).

Notez qu'il est possible d'être à la fois empoisonné et maudit (cumulez les effets).

LE NIVEAU

Votre personnage commence au niveau 1. Vous gagnerez 1 niveau par tome réussi. Un changement de niveau pourra augmenter vos caractéristiques ou vous permettre d'obtenir un talent et des PV supplémentaires. Les effets, suite aux changements de niveau, vous seront révélés à la fin de chaque tome.

L'utilisation de la carte

Vous trouverez au début de la quête une carte de la région. Conservez-la bien, car elle vous guidera tout au long de l'aventure. Vous retrouverez également ce document (version couleur) en format imprimable sur notre site Web :

www.avdj2.com

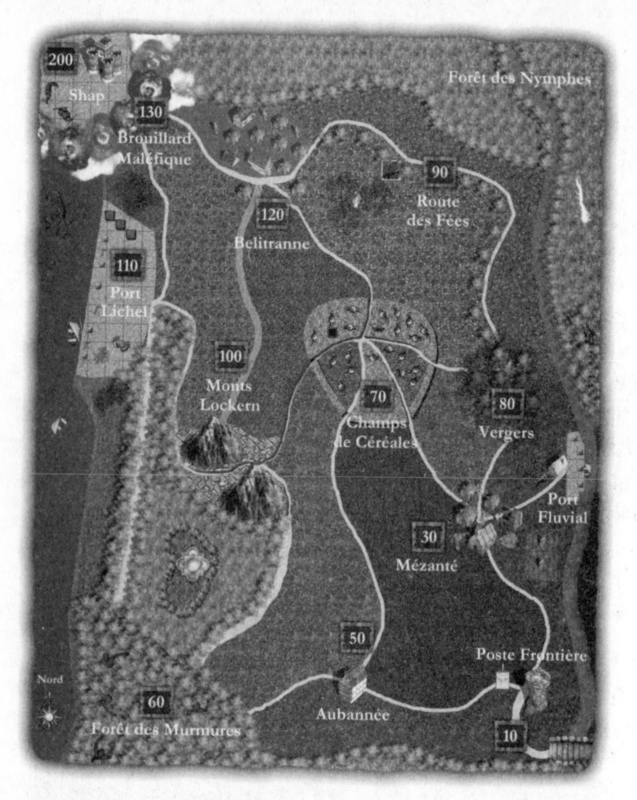

LES DÉPLACEMENTS

Chaque numéro de la carte représente un paragraphe du livre. Le texte vous dira vers quel lieu vous pourrez vous rendre. Lorsque vous atteignez un nouveau lieu, lisez le paragraphe du livre qui correspond au numéro.

LES RENCONTRES ALÉATOIRES

Parfois, il vous sera demandé de « lancer un dé selon la règle des rencontres aléatoires ». Lancez alors ce dé :

- Si le résultat est entre 1 et 3, vous rejoignez votre destination sans encombre.
- S'il est de 4 ou plus, vous rencontrerez un monstre sur le chemin.

Vous devez alors déterminer quel monstre vous allez affronter. Pour cela :

- Lancez à nouveau le dé.
- Ajoutez 190 au résultat.
- Aller combattre la créature située au paragraphe égal au résultat que vous avez obtenu.

Exemple : Vous lancez le dé et obtenez un 4. Donc vous rencontrez un monstre.

Au deuxième lancer, vous obtenez 5. Vous devez donc combattre le monstre décrit au paragraphe 195 du livre.

Les combats

Voici le nouveau système de combat développé exclusivement pour la série *À vous de jouer* 2. Pour affronter les créatures terrifiantes qui ont envahi les baronnies du Sud, vous aurez besoin d'un dé et de la grille de combat ci-dessous (elle figure aussi sur toutes les fiches de personnages).

LA GRILLE DE COMBAT

Table		Différence entre l'habileté du héros et de son adversaire					
		Défense			Attaque		
		+ D11	D10 - D6	D5 - D1	A0 - A5	A6 - A10	A11 +
Lancer 1 dé (6 faces)	1	héros : -7 adv : -4	héros : -6 adv : -4	héros : -5 adv : -4	héros : -4 adv : -4	héros : -3 adv : -4	héros : -2 adv : -4
	2	héros : -6 adv : -4	héros : -5 adv : -4	héros : -4 adv : -4	héros : -3 adv : -4	héros : -2 adv : -4	héros : -1 adv : -4
	3	héros : -6 adv : -5	héros : -5 adv : -5	héros : -4 adv : -5	héros : -3 adv : -5	héros : -2 adv : -5	héros : -1 adv : -5
	4	héros : -5 adv : -5	héros : -4 adv : -5	héros : -3 adv : -5	héros : -2 adv : -5	héros : -1 adv : -5	héros : -1 adv : -5
	5	héros : -5 adv : -6	héros : -4 adv : -6	héros : -3 adv : -6	héros : -2 adv : -6	héros : -1 adv : -6	héros : 0 adv : -6
	6	héros : -4 adv : -6	héros : -3 adv : -6	héros : -2 adv : -6	héros : -1 adv : -6	héros : 0 adv : -6	héros : 0 adv : -6

AVANT LE COMBAT

Vous devez d'abord déterminer dans quelle colonne du tableau se fera le combat. Dans la partie **non grisée** (attaque), c'est vous qui avez l'avantage, dans la partie **grisée** (défense), c'est votre adversaire qui est avantagé. Pour cela, on utilise l'habileté (n'oubliez pas d'y ajouter les éventuels bonus et malus de vos équipements, arme, protection, statut…).

- Si votre habileté est supérieure ou égale à celle de votre adversaire, vous aurez l'avantage sur lui. Vous utiliserez donc la partie **non grisée** (attaque) du tableau. Votre habileté moins celle de votre adversaire est égale à la **colonne** que vous utiliserez.
- Si votre habileté est inférieure à celle de votre adversaire, vous serez désavantagé. Vous utiliserez donc la partie **grisée** (défense) du tableau. Dans ce cas, c'est l'habileté de votre adversaire moins la vôtre qui est égale à la colonne que vous utiliserez.

Certains objets ou talents vous permettront de modifier votre habileté ou celle de votre adversaire. Dans ce cas, bien sûr, vous changerez de **colonne** en fonction du nouvel écart entre vos habiletés.

Exemple 1 : Si vous avez une habileté de 5 et que votre adversaire a une habileté de 12, vous êtes désavantagé, vous utilisez donc la partie **grisée** (défense) du tableau, plus précisément la **colonne D10–D6** vu que 12-5=7.

Exemple 2 : Si vous avez une habileté de 5 et que votre adversaire a une habileté de 15, vous utiliserez donc la même **colonne**, vu que 15-5=10. Vous décidez d'utiliser un parchemin de langueur pour ce combat (dont l'effet est de diminuer l'habileté d'un ennemi de 10 points). L'habileté de votre adversaire passe à 15-10=5. L'adversaire a maintenant une habileté égale à la vôtre, ce qui vous avantage. Vous utiliserez donc maintenant la partie **non grisée** (attaque), et plus précisément la **colonne A0–A5** vu que 5-5=0.

PENDANT LE COMBAT

- Le combat se déroule en plusieurs assauts. À chaque assaut, lancez un dé.
- Rendez-vous ensuite à la ligne du tableau qui correspondant au résultat du dé.
- Le résultat de l'assaut est la case correspondant à l'intersection de votre colonne et de votre ligne. Dans cette case se trouve une partie héros et une partie adversaire suivie d'un chiffre. C'est le nombre de points de vie que vous et votre adversaire perdez (comme pour l'habileté, certains objets ou talents donnent des bonus ou malus aux dégâts, ne les oubliez pas !)
- Et voilà, l'assaut est terminé ! Vous n'avez plus qu'à entamer le suivant qui se déroule de la même façon.

Le combat se termine lorsque vos points de vie ou ceux de votre adversaire tombent à 0, ce qui signifie la mort du combattant.

Attention, vous ne pouvez utiliser qu'un seul talent au début de chaque assaut. N'oubliez pas alors de cocher la case sur votre fiche de personnage AVANT de lancer le dé.

EXEMPLE DE COMBAT

Vous êtes un guerrier de niveau 1 (H : 7, PV : 15) qui combat un voleur (H : 6, PV : 20). Vous pouvez utiliser le talent hargne. Comme vous possédez la plus haute habileté, vous utilisez la partie non grisée (attaque) plus précisément la colonne 0-5, vu que 7-6=1.

- 1er assaut : vous lancez le dé, et obtenez un 5 (ce qui est un bon résultat). La case qui est à l'intersection de la ligne 5 et de la colonne 0-5 indique : héros : -2 et adv : -6. Ce qui signifie que vous perdez 2 PV et votre adversaire, 6 PV. Vous avez maintenant 15-2=13 PV et le voleur 20-6=14 PV.
- 2e assaut : vous décidez d'utiliser votre hargne (+5 dégâts) pour cet assaut. Cochez la case sur votre fiche de personnage. Vous lancez

le dé qui fait 2. Soit le résultat suivant dans le tableau : héros : -3 et adv : -4. Ajoutez les dégâts de la hargne aux 5 dégâts que recevra le voleur (4+5=9) : vous perdez 3 PV et votre adversaire, 9 PV. Vous avez maintenant 13-3=10 PV et le voleur 14-9=5 PV.

- 3e assaut : vous lancez le dé, et obtenez un magnifique 6. La case indique héros : -1 et adv : -6. Il vous reste 10-1=9 PV alors que le voleur rend son dernier souffle. Vous ramassez sa bourse qui contient 10 pièces d'or et continuez votre chemin, sans oublier de boire quelques potions de vie !

MALUS DE COMBAT

Vous aurez des malus si vous n'êtes pas suffisamment équipé pour vous battre.

- Vous devrez déduire 3 points aux dégâts que vous vous infligerez si vous vous battez sans armes (main droite non équipée). Exception pour l'archer, qui doit être équipé d'un arc (main gauche) **et** de flèches (main droite) pour éviter ce malus.

- Vous devrez doubler les blessures reçues en combat si vous n'êtes pas muni d'une protection corporelle (Corps non équipé).

Prologue

Vous avez toujours rêvé d'être un héros. C'est pour cela que, depuis deux ans, vous suivez l'enseignement de l'instructeur royal : une véritable légende vivante. C'est celui qui a jadis vaincu le maléfique Deltamo.

Sorti brillamment des redoutables sélections, vous voici aujourd'hui assis dans la salle du conseil royal.

— Il est tard, trop tard pour une réunion de routine, vous dites-vous. Il se passe quelque chose…

Soudain votre maître entre dans la salle. Avant qu'il n'ait refermé la porte, vous êtes déjà debout. Il s'installe nonchalamment sur le bord de l'estrade et, d'un geste élégant, vous invite à vous asseoir.

Son visage est grave. Vous ne l'avez jamais vu aussi sérieux.

— Tout d'abord, je vous félicite pour vos excellents résultats, déclare-t-il. Vous ferez du bon travail, j'en suis certain. Tout ce que je vais vous révéler doit rester secret.

Vous êtes tout excité. C'est peut-être la chance de votre vie. Vous vous imaginez déjà, acclamé par la foule, revenir victorieux d'une quête fantastique. Vous marcheriez fièrement sur une route couverte de fleurs ! Tous crieraient : « le sauveur est de retour ». Vous seriez un héros…

Mais vos rêves sont interrompus par la voix de ténor du héros de Gardolon :

— La baronnie de Wello nous a signalé l'apparition de créatures étranges. Il est possible que les baronnies rebelles du Sud y soient pour quelque chose. Soyez prêts à toute éventualité et restez discrets. Vous devrez, coûte que coûte, garder votre identité secrète. Dès que vous aurez suffisamment d'informations sur la nature, le nombre et la force de ces envahisseurs, envoyez-moi un message.

Son regard est dur et ses paroles percutantes. Vous enregistrez chaque phrase, chaque mot, chaque intonation. La mission qu'on vous confie est bien plus dangereuse que vous ne l'imaginiez : espionnage en terre ennemie…

Le secret, le danger, il faudra s'en accommoder…

— Des questions ?

Vous ne répondez pas.

— Des questions ? insiste-t-il.

Vous savez ce que vous avez à faire et c'est bien suffisant.

— Parfait, conclut-il. Vous partirez dès demain, à l'aube. Allez vous préparer…

Vous vous levez rapidement. Partagé entre la fierté et la peur, c'est l'estomac noué que vous regagnez vos quartiers.

***

Malgré une nuit raccourcie, vous êtes prêt une heure avant l'aube. Votre maître vous rejoint et vous dit :

— Voici un laissez-passer qui facilitera votre voyage jusqu'à Wello, explique-t-il en vous remettant un parchemin.

Il vous tend ensuite un tube portant le sceau royal.

— Et ceci est la réponse officielle du roi au baron Telfor.

Vous rangez l'importante missive dans la doublure de votre tunique. La main de l'instructeur se pose sur votre épaule.

— Et veillez à lui remettre ceci en mains propres, ajoute-t-il en vous fixant dans les yeux.

Quelque peu intimidé, vous hochez la tête en signe d'approbation.

— De toute façon, je serai là pour m'en assurer ! déclare une petite voix.

Une grenouille bondit de derrière l'instructeur : Jack ! C'est la première fois que vous le voyez d'aussi près, et surtout que vous l'entendez parler. On dit qu'il est autrefois tombé dans la marmite magique de la Sorcière d'Hanz. Cet incident lui a donné le don de la parole et l'aurait même rendu relativement intelligent. On dit aussi qu'il a tendance à se prendre pour un chevalier défenseur de la veuve et de l'orphelin.

— Tu ne peux pas venir avec moi, c'est trop dangereux ! contestez-vous poliment.

— Trop dangereux ?! Sachez que je suis un chevalier, moi, et non un apprenti !

— Jack ! gronde le maître.

— Je vous défie en duel ! lance la grenouille, en bombant le torse.

Surpris, vous lancez un regard attentif à votre maître ; vous demandant si l'animal est sérieux ou pas. L'instructeur vous sourit. Vous comprenez alors qu'il va falloir supporter cette grenouille orange durant toute la mission.

Résigné, vous tendez le bras en signe d'invitation. Jack bondit fièrement sur votre épaule. Arborant un sourire hautain, il est persuadé de vous avoir convaincu par sa simple prestance.

— C'est un compagnon agréable qui vous rendra sûrement de grands services, précise l'instructeur avec un clin d'œil malicieux.

Sous son regard bienveillant, vous vous mettez en selle.

— Une dernière chose. Voici de quoi subvenir à vos besoins.

Le maître vous tend une bourse remplie de 50 pièces d'argent. Ce sera une aide appréciable, car en tant qu'apprenti, vous n'avez pas encore votre équipement. Il

« Je vous défie en duel ! »

faudra en trouver un le plus rapidement possible, pensez-vous en lançant votre cheval au galop.

Et maintenant, tournez la page…

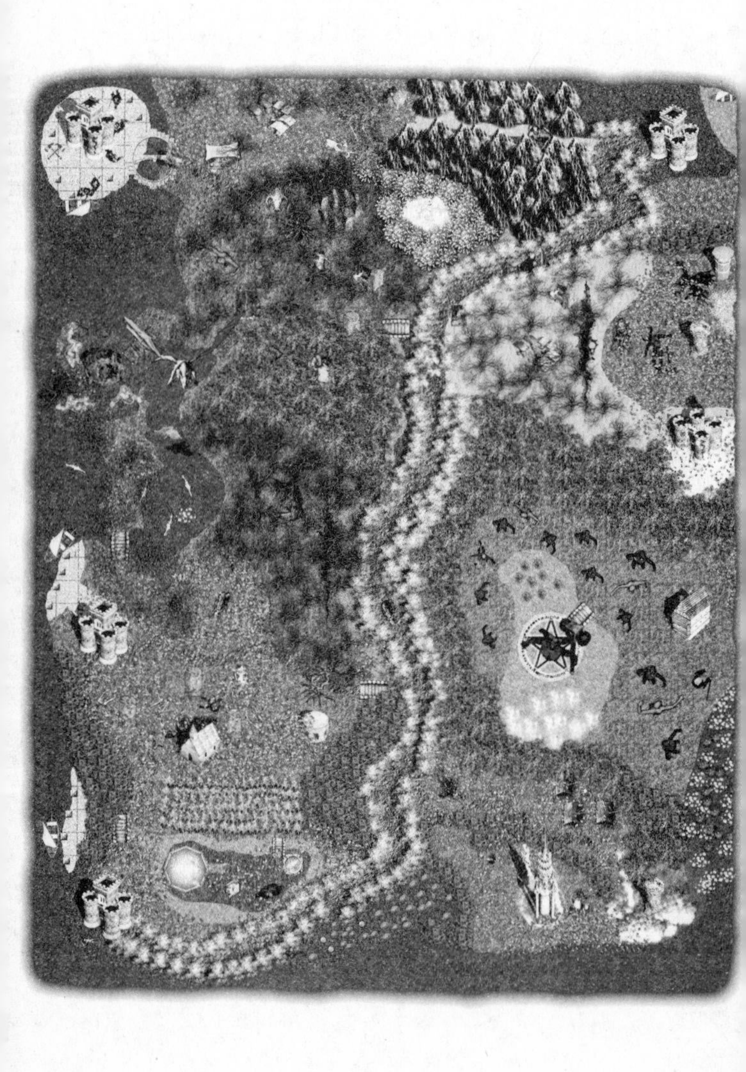

La carte des baronnies du Sud

Les terres maudites

Une semaine s'est écoulée depuis votre départ. Vous longez maintenant un immense lac. Assis nonchalamment sur la tête de votre cheval, Jack pointe soudainement la patte vers l'horizon et rompt le silence environnant.

– Ça y est ! On voit le château !

Un sourire se dessine sur votre visage. La petite grenouille ne se fait jamais oublier très longtemps…

– Regardez, les drapeaux sont en berne ! continue-t-il. Quelque chose de terrible a dû se produire…

– Dépêchons-nous ! répondez-vous en lâchant la bride. Accroche-toi, Jack !

– Vous me prenez pour qui, petit maître ? N'oubliez pas que je suis un chevaliééé !…

Cramponné à la crinière, Jack prend aussitôt l'allure d'un pavillon flottant au vent.

En début de soirée, vous atteignez l'entrée de la cité de Wello. Vous interpellez deux gardes :

— Nous venons rencontrer Telfor, déclarez-vous en brandissant le sceau royal.

Les deux soldats échangent un regard gêné.

— Notre baron est décédé hier, Messire.

C'est à votre tour d'échanger un regard embarrassé avec Jack. Car ça, ce n'était pas prévu du tout.

— Nous devons donc rencontrer son successeur, reprenez-vous. Il s'agit d'une affaire extrêmement importante.

— Bien. Suivez-moi…

Vous descendez de cheval et lui emboîtez le pas. La cité est sur la défensive. Le pont-levis n'est abaissé que le temps de votre passage. Dans le château, des archers veillent derrière chaque meurtrière.

— Mais, c'est la guerre ici, ou quoi ?! s'exclame Jack.

— La situation a l'air d'être très tendue, en effet. Les craintes de notre maître étaient justifiées.

— Oui, très justifiées, rajoute Jack.

Une fois dans la salle de réception, le garde vous présente à un jeune homme soucieux. Il porte une tunique aux couleurs de Wello : col orange, manches vertes et plastron marron.

— Je suis Jeld, fils et héritier de feu Telfor de Wello.

— Veuillez recevoir nos sincères condoléances, déclarez-vous sobrement. Bien que les circonstances ne s'y prêtent guère, il faut que nous nous entretenions avec vous.

Jeld acquiesce. La discussion se poursuit tard dans la nuit. Vous apprenez que le baron Telfor a été agressé par un ours maudit lors d'une partie de chasse, et qu'il est décédé hier de ses blessures. Il vous explique aussi que de nombreux réfugiés affluent à Wello. Ils fuient de mystérieux démons qui auraient envahi les baronnies voisines.

La meilleure façon de savoir ce qui se passe dans les baronnies, c'est d'y aller.

Votre mission consistera à rallier Shap et à prendre contact avec celle qui dirige cette baronnie.

Vous pouvez maintenant choisir un des huit personnages proposés. Si vous jouez à plusieurs, chaque joueur choisit son personnage.

La quête

Le lendemain matin, vous retrouvez Jeld à l'entrepôt du château. Il précise qu'il ne peut vous fournir ni arme, ni armure, car il en a trop besoin pour la défense de la ville. De son côté, Jack profite de la conversation pour fouiner ici et là.

Un alchimiste vous donne un gros sac à dos contenant quelques potions (inscrivez-les sur votre fiche de personnage).

OBJETS	EMPL.	DISPONIBLE
POTION MINEURE	Sac à dos	6 fioles
Permet de récupérer 10 points de vie		
ANTIDOTE	Sac à dos	2 fioles
Annule le statut empoisonné		
EAU BÉNITE	Sac à dos	2 fioles
Annule le statut maudit		

Tandis que vous ajustez votre nouveau sac, Jack réapparaît en traînant un énorme livre. Sa voix fluette et essoufflée résonne dans la pièce :

– Humf… Je savais bien qu'il y avaich… quelque chose d'intéressanch… là-dedans !

Vous ne pouvez vous empêcher de sourire en le voyant se démener.

– Qu'est-ce que c'est, Jack ? demandez-vous en adressant un clin d'œil à Jeld.

– C'est une ench… yclopédiiich… Il y ach… plein d'informationch… sur la région. C'est un objet immm… portant.

– Certes, mais c'est un peu encombrant. Tu ne crois pas ?

– Ne vous inquiétez pafff… Je la porteraich… moi-même !

Évidemment, vous êtes persuadé que cette idée est totalement absurde. Mais la meilleure leçon à lui donner est de le laisser s'épuiser en trimballant sa trouvaille. Vous décidez donc de l'ignorer et sortez d'un pas rapide.

Allez au **1**.

1

Jeld vous accompagne jusqu'à l'écurie. Un quart d'heure plus tard, Jack arrive complètement exténué. Son livre creuse un long sillon dans la paille.

— Ça va ? Tu n'es pas fatigué de faire le clown ?

— Pfff… J'y arrive très biench… tout seul. Humf… Ne vous inquiétez pafff, petit maître. J'ai déjà vu pire.

C'est qu'elle est têtue cette grenouille ! À cet instant, un homme vêtu d'une ample robe vert émeraude et tenant un grand bâton de chêne noueux vous rejoint. Jeld fait les présentations.

— Voici Lormel, mon druide-conseiller.

Lormel vous salue d'un hochement de tête, puis reporte son attention sur le livre de Jack.

— Où avez-vous trouvé ça ? vous demande-t-il étonné.

Bien sûr, c'est Jack qui répond :

— Han… Ça traînait au fond de l'entrepôt. Je ne l'ai pas… Gnnn… volé ! Je l'ai juste empruntéchhh… pour quelques jours.

Le druide se penche vers Jack, qui lâche un instant son fardeau.

– Tiens, une grenouille qui parle ! Vous m'en direz tant. Sais-tu que ce livre est magique ?

– Évidemment que je le sais ! Je trouve toujours des objets intéressants. Et ce qui est magique est toujours intéressant !

– Et tu comptes l'emporter ?

– Bien sûr ! Le baron a dit qu'on pouvait prendre ce qu'on voulait, sauf les armes ! Un livre, ce n'est pas une arme !

– C'est vrai. Tu as tout à fait raison, dit Lormel souriant devant la vivacité d'esprit de Jack.

Le druide murmure quelques mots étranges. Le livre s'illumine un instant et devient subitement minuscule.

– Ce sera plus facile comme ça.

Le batracien bondit de joie en brandissant son encyclopédie miniaturisée.

– Youpi !

Vous l'attrapez au vol et le posez fermement sur votre épaule.

– Merci Lormel. En quoi est-il magique, ce livre ? demandez-vous.

— Il décrit ce qui se trouve à proximité. Ça peut aider. Mais encore faut-il avoir le temps de lire.

Jeld vous tend alors un anneau seigneurial, frappé du blason de Wello.

— Cela aidera à vous identifier auprès de Joline, la baronne de Shap. Ne le perdez pas !

— Soyez rassuré, j'y veillerai comme à la prunelle de mes yeux.

— Maintenant, il faut partir, vous conseille le baron.

Vous prenez le temps de le remercier, lui adressez un dernier salut et quittez le château au grand galop.

Avant de sortir de la ville, vous passez devant une boutique. Si vous voulez la visiter, allez au **140**.

Vous arrivez rapidement à une intersection. Les panneaux indiquent la même chose que votre plan : tout droit, vous irez vers les monts de la Lune et, en prenant à gauche, vous partirez vers le Sud.

Pour aller vers les monts de la Lune, rendez-vous au **24**. Sinon, direction le sud au **42**.

2

À l'approche d'un pont, vous voyez une carriole tirée par un mulet grisonnant au galop. Intrigué par l'absence de conducteur, vous stoppez l'animal.

— Oohh, Cocotte !

Soudain, un vieil homme hystérique surgit du pont en courant.

— Tu vas t'arrêter, espèce de bourrique mal dégrossie ?!

Il s'arrête devant vous hors d'haleine.

— Ahsshh ashhh... Mer... Merci bien. chuchote-t-il presque.

— De rien. C'est normal, répondez-vous avec le sourire.

— Je me présente. Je suis Peter, le célèbre marchand ambulant.

Vous vous présentez et lui demandez ce qui s'est passé.

— Je faisais ma sieste quand cette satanée bestiole s'est mise en tête de partir sans moi ! Et vous, où allez-vous ?

— À Shap.

— J'en reviens. C'est dangereux, là-bas !

— Pas tant que je suis là pour le protéger ! déclare Jack en sautant sur votre tête.

— Oh, une grenouille qui parle ! C'est la première fois que j'en vois une. Pourtant, j'en ai vues des choses !

— C'est normal, je suis u-ni-que, précise Jack.

— Je suis toujours intéressé par ce qui est unique et coloré.

Son regard redescend vers vous.

— Je peux t'en offrir 1000 pièces d'or, ou même l'échanger contre une arme magique !

— Désolé, mais Jack n'est ni à vendre, ni à échanger, rétorquez-vous fermement.

Ayant aperçu quelque chose d'intéressant, Jack bondit sur la carriole.

— Moi, je suis intéressé par votre arme magique. C'est quoi ?

— C'est une épée de feu. Elle tranche comme une lame de rasoir et enflamme tout ce qu'elle touche. Avec ça, vous ne craindrez personne ; pas même les démons.

— Parfait, on la prend. C'est combien ? s'enquiert Jack en ouvrant sa bourse.

— C'est une grenouille qui parle ou 2000 pièces d'or.

– Deux mille !? vous exclamez-vous. C'est du vol !

– C'est à prendre ou à laisser. De toute façon, le baron de Wello sera intéressé. Il a les moyens, lui…

Il monte dans sa carriole, et dit d'une voix étouffée par la toile :

– Mais Pit n'est pas un ingrat. Je vais t'offrir quelque chose pour avoir arrêté ma mule.

Il ressort avec un coffret qui regorge de médaillons en tous genres. Il en choisit un qu'il vous tend.

– Voici un médaillon de résurrection. Porte-le à ton cou et, si tu meurs, il te ressuscitera. Mais attention, son pouvoir ne marche qu'une seule fois.

Vous passez l'objet à votre cou (ajoutez le médaillon de résurrection sur votre fiche de personnage, et qu'il vous permet de récupérer tous vos points de vie si vous mourez) et remerciez le vieil homme d'une chaleureuse poignée de main.

– Merci Pit !

– Et moi ? Je peux avoir quelque chose ? revendique Jack.

Le vieil homme se gratte la tête, puis extirpe de sa poche un parchemin fripé.

— Tiens, voilà un plan de la plaine de Shap. Elle débute au-delà de ce pont, dit-il en montrant l'architecture de pierre blanche.

— Mais… C'est pas magique, ça ! bougonne la grenouille.

— Non, mais ça vous aidera tout aussi bien. Tiens, à propos ! On m'a dit qu'un cimeterre maudit se trouvait dans les parages ! Si vous le découvrez, on pourra faire affaire.

— Nous trouverons cette merveille ! promet Jack. Nous retournerons chaque caillou de cette baronnie s'il le faut !

Vous quittez ensuite votre nouvel ami et traversez le pont. Vous allez pouvoir utiliser le plan que Pit a offert à Jack. Vous démarrez en bas à droite, au Poste Frontière (#10). Votre objectif est la ville de Shap (#200), tout en haut à gauche. Les règles de déplacement sont les suivantes :

À chaque déplacement, vous devez jouer la règle des rencontres aléatoires.

Dès que vous atteignez un lieu marqué d'un numéro, allez directement au paragraphe correspondant pour continuer votre aventure.

Pénétrez maintenant dans la vaste plaine de Shap, et rendez-vous au **10**.

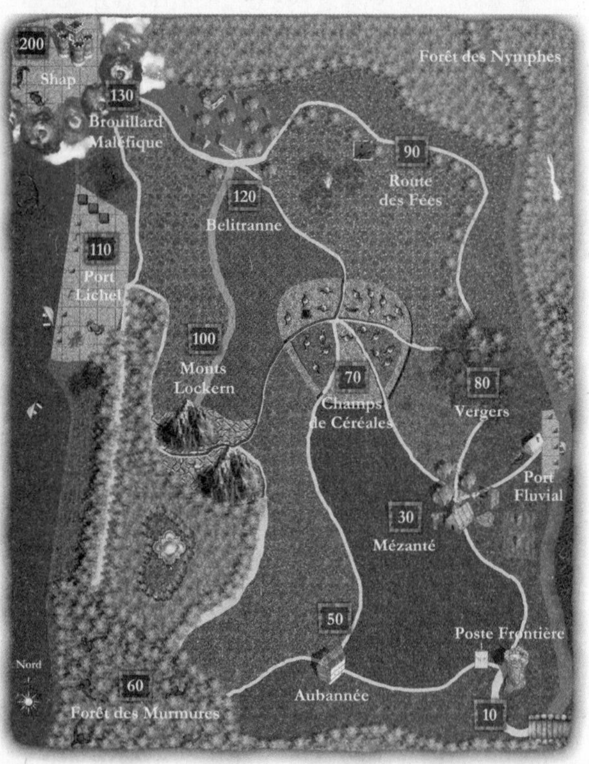

Plan de la plaine

Vous retrouverez également ce document (version couleur) en format imprimable sur notre site Web : www.avdj2.com

3

Vous êtes dans une immense clairière. Une cabane de paille occupe son centre. Un épouvantail vêtu d'une salopette bleue en sort nonchalamment. Il vous salue en agitant sa tête de citrouille.

— Salut, collègue. Que fais-tu ici ?

— Collègue ?

Comme vous êtes en paille, il doit vous prendre pour un de ses congénères. Malgré tout, vous vous ressaisissez aussitôt.

— Oui, oui. Je cherche la sortie. J'ai décidé d'aller explorer le monde, tentez-vous.

— Ah ? Personne ne t'a dit que c'est impossible ?

Sur le ton de la confidence, vous précisez :

— J'ai entendu dire qu'il y avait un passage secret menant à la forêt. Je le cherche depuis plus d'une semaine, mais je tourne en rond !

— Hahaha ! Je ne la connaissais pas celle-là ! Je pense qu'on t'a menti. Seul le

Mânes-Qein décide qui sort et entre des champs maudits.

— Justement, je dois le retrouver, celui-là ! fait Jack en tendant son épée en bois.

— Inconscient ! Je préférerais mourir que de rencontrer le maître des champs. Si t'en as marre de vivre, va au village des Blés. Mais à ta place, j'oublierais cette idée.

— Ça ne peut pas être pire que d'être comme je suis actuellement. Je veux retrouver ma forme initiale !

— Hein ?! fait-il surpris. Tu veux redevenir inerte ?

— Inerte, moi ? crie votre compagnon. Je…

Vous lui fermez la bouche avant qu'il ne fasse tout rater.

— Excusez-le. Il délire en ce moment. Le pollen, vous comprenez… J'avoue m'être perdu, vous pourriez m'indiquer la route pour aller au village ?

L'épouvantail vous regarde maintenant d'un air suspicieux.

Si votre cheval est en paille, rendez-vous au **25**. Sinon, allez au **125**.

4

Le village semble désert. Cependant, quelques distractions ont été prévues pour agrémenter la partie. Lancez le dé. Si vous obtenez :

1 : Une fillette surgit à l'improviste, plante sa fourche dans vos fesses et repart à toute vitesse en ricanant (vous perdez 2 points de vie).

2 : Une petite peste chaparde un objet dans votre sac à dos (rayez 1 objet de votre choix sur votre fiche de personnage).

3 : Un vilain garnement vous tire dessus une fléchette empoisonnée (vous obtenez le statut empoisonné).

4 : Une tige d'orge particulièrement vorace vous agresse ! Menez le combat au **191**.

5 : Un épouvantail maudit surgit du champ environnant ! Menez le combat au **192**.

6 : Un méchant garçon vous lance un sortilège maléfique (vous obtenez le statut maudit).

Cette mésaventure passée, il est temps de faire un choix. Vous ne pouvez visiter chaque endroit qu'une seule fois. Où souhaitez-vous aller ?

À la taverne, allez au **39**. À l'auberge, allez au **49**. À la boutique, allez au **59**. Vers la charrette de foin, allez au **79**. Vers la sortie du village, allez au **89**.

5

Après cette curieuse mésaventure, vous vous remettez en selle et repartez au galop. La route vous mène dans une forêt complètement dévastée. Elle ressemble à une immense étendue de piquets carbonisés. Au-delà de cette zone morte, vous traversez une plaine d'herbe jaunie. Vous arrivez à hauteur d'une autre stèle noire gravée de lettres d'argent scintillantes.

ERREZ INDÉFINIMENT DANS LES PLAINES DE MARFAZ, TELLE EST VOTRE MALÉDICTION. AVANCEZ ET MOUREZ RETOURNEZ ET MOUREZ RESTEZ ET MOUREZ. JE SUIS VOTRE PIERRE TOMBALE À TOUT JAMAIS ! (↓ SUD) SHAP, BARONNIE MAUDITE (↑ NORD) WELLO, BARONNIE DÉVASTÉE

– Argh ! Cette fois, c'en est trop !

Jack saute à terre et frappe la stèle de ses petits poings orangés.

– Tu vas nous laisser tranquille, oui ? Va-t'en ! On ne veut plus te voir !

– Jack ! C'est juste un caillou. Allez, viens ici. On va continuer encore un peu…

– Non mais… grogne Jack en massant sa patte endolorie. Si j'en vois encore une comme ça, j'la démolis !

Que faites-vous ? Pour continuer vers le nord, allez au **131**. Pour rebrousser chemin au sud, allez au **19**.

6

Malgré le lierre accroché à la structure, l'accident de la carriole paraît être récent. L'état du bois et des objets jonchant le sol ne trompe pas. De nombreux débris de verre vous font penser que des potions faisaient partie du chargement. Malheureusement, elles sont toutes perdues.

— Aïe !

— Qu'y a-t-il, Jack ?

— J'ai mal aux pattes !

— Fais attention ! Tu ne vois pas qu'il y a du verre partout ?

— Désolé, mais je ne suis pas du genre à regarder mes pattes quand je vois tant d'objets magiques !

— Magiques, dis-tu ?! Laisse-moi voir ça…

Vous prenez Jack dans votre main. Tout en faisant l'inventaire des objets disséminés un peu partout, vous ôtez délicatement les morceaux de verre plantés dans ses pattes.

— Aïeuuu ! Fais attention, maître ! Je suis un chevalier dé-li-cat !

Vous trouvez les objets suivants :

OBJETS	EMPL.	PRIX DE VENTE
UN BOUCLIER ROUILLÉ	Main gauche	2 pièces d'argent
Réservé au guerrier, déduisez 1 point des blessures reçues à chaque assaut pendant un seul combat. Après son utilisation, il sera détruit		
POUDRE DE SCARABÉE	Sac à dos	10 pièces d'argent
Permet de régénérer un talent utilisé		
BOURSE D'ARGENT	Corps	15 pièces d'argent
Une bourse contenant 15 pièces d'argent		

Vous pouvez emporter les objets que vous voulez.

Si vous ne l'avez pas fait, vous pouvez examiner l'autel au **16**. Sinon, retournez sur la carte à la Forêt des Murmures pour choisir votre prochain déplacement. Vous pouvez aller à Port Lichel (#110) ou aux Monts Lockern (#100). N'oubliez pas de jouer la règle des rencontres aléatoires.

7

Dans votre tête, des voix ténues résonnent à l'unisson.

— La Forêt des Nymphes est interdite aux humains ! Repartez et ne revenez plus ici !

Vous vous endormez comme un nourrisson. Perdu au pays des rêves, vous avez l'impression de flotter dans les airs, emporté par une brise magique.

Le ronflement sonore de Jack vous réveille en sursaut. Il dort paisiblement, affalé sur votre monture. Vous êtes au bord d'un chemin de terre poussiéreux, longeant la lisière de la forêt.

— Ne revenez plus ici... Ne revenez plus ici... murmurent interminablement les voix dans votre tête étourdie.

Obéissant bien malgré vous à la puissante injonction, vous vous levez et prenez par la bride votre cheval paré de son petit ronfleur. Tel un pantin manipulé, vous prenez la direction de l'ouest...

Sur la carte, allez directement à la Route des Fées (#90) sans lancer le dé des rencontres aléatoires.

8

Vous chutez durement par terre (vous perdez 2 points de vie), mais vous vous relevez rapidement pour faire face au danger.

Allez au **72** pour vous défendre.

9

À la sortie du village, vous passez devant un temple de Rogor : le dieu de l'agriculture. Celui-ci est constitué d'une unique charpente de bois abritant un socle en terre glaise.

– Hé ! Où est la statue du dieu ? s'étonne Jack.

– J'en sais rien, moi.

Soudain, un énorme sanglier surgit des buissons. Il est vêtu d'une toge brune et se tient debout sur ses pattes de derrière. Il s'approche en boitant.

— Faites une offrande à Rogor et vos récoltes seront abondantes, déclare-t-il d'une voix enrouée.

Bien que vous soyez juché sur votre cheval, la tête de l'animal arrive à votre hauteur. Le sanglier est devenu un être humanoïde au visage porcin. Il vous tend un bol de terre cuite et l'agite pour demander l'aumône. Comme Rogor est aussi le dieu de la terre, il n'accepte pas les pièces d'argent.

Pour lui faire don d'un objet, allez au **21**. Sinon allez au **53**.

10

Vous franchissez le pont enjambant la Nirh. Sur l'autre rive, le Poste Frontière est en ruines ; complètement détruit. L'écurie n'est plus qu'un tas de cendres. Pour tous vestiges du quai de bois longeant la rivière, il ne reste que quelques poutres rongées par la vermine. Quant à la caserne, elle est partiellement effondrée.

— Vous avez vu ? Tout est brûlé, petit maître.

— Jack, peux-tu arrêter de m'appeler « petit maître », s'il te plait ? Je ne suis ni petit, ni ton maître.

— Mais moi, je veux vous appeler « maître ».

— Eh bien, oublie le « petit », veux-tu ?

— Mais j'ai déjà un « maître », moi.

— À ce que je sache, il n'est pas là en ce moment.

— Bon, alors je veux bien vous appeler « maître » temporairement. Mais je vais devoir te tutoyer, car avec mon maître, on était très proche. Quand nous…

— Assez ! l'interrompez-vous, excédé. Appelle-moi comme tu veux et qu'on n'en parle plus.

— Compris, maître. Tu verras, on va bien rigoler.

— Bon, ça c'est fait….

Qu'allez-vous faire maintenant ?

Explorez les lieux au **88**, ou continuez votre route au **20**.

11

Au bout d'un moment, vous êtes persuadé d'avoir au moins parcouru les cinq kilomètres indiqués. Toujours pas de traces du moindre village ! Comme pour répondre à votre interrogation silencieuse, un nouvel embranchement apparaît au loin. Une stèle noire ressemblant comme deux gouttes d'eau à la précédente y est présente. Le message inscrit est assez explicite :

> TOI QUI ES SEUL, À AUBANNÉE TU N'IRAS PAS.
> TOI QUI ES PERDU, MÉZANTÉ TU NE TROUVERAS PAS.
> TELLE EST LA MALÉDICTION DE MARFAZ
> (← OUEST) BELITRANNE, VILLAGE DES IMMATURIELS – 5 KM
> PORT LICHEL, VILLAGE DES VAGUES À L'ÂME – 5 KM (↑ NORD)

— Ah bravo ! s'exclame Jack. Tu t'es trompé de direction, on a été trop loin. C'est malin, ça !

— Trop loin ? Je ne vois pas en quoi c'est un problème. On va à Shap, non ? rétorquez-vous.

— Mais le cimeterre maudit de Pit ? On va le trouver comment si on n'explore pas au moins un peu la région ?

— Regarde le plan au lieu de dire des idioties. Quelle est la meilleure direction ?

Jack consulte la carte :

— On est presque arrivés, mais les directions sont encore opposées par rapport au plan ! gémit-il.

Que faites-vous ? Si vous allez vers l'ouest, rendez-vous au **52**. Si vous allez vers le nord, rendez-vous au **102**.

12

Les arbres se resserrent et leurs branches molles se rapprochent irrésistiblement. Vous évitez leurs coups extrêmement lents, mais le nombre croissant d'adversaires rend votre défense délicate. Le contact avec le bois humide — dont la texture rappelle celle de la peau — vous fait paniquer (notez que vous êtes maudit). Tentant le tout pour le tout, vous vous faufilez entre les végétaux vivants au prix de quelques blessures (vous perdez 3 points de vie). Vous foncez ensuite droit devant, sans demander votre reste.

Retournez sur la carte aux Vergers pour continuer votre route. Vous pouvez aller aux Champs de Céréales (#70) ou passer par la Route des Fées (#90). N'oubliez pas de jouer la règle des rencontres aléatoires.

13

Les portes sont grandes ouvertes. Des cris d'encouragement et des clameurs enjouées parviennent à vos oreilles. Les clients sont regroupés autour d'une attraction enfantine. Dans une grande bassine flottent de petits canards de liège affublés d'un clou planté dans leur tête. Un garçon tente d'en attraper un avec une canne à pêche rudimentaire. Comme à son habitude, Jack est très intéressé par ce nouveau jeu.

— Je suis sûr de gagner, maître ! Laissez-moi essayer…

Un joueur regarde les dessins gravés sous les canards et fait la grimace en voyant qu'il a perdu. Vous voyez une pancarte indiquant les combinaisons gagnantes. Si vous voulez payer quelques parties à Jack (chacune coûte 1 pièce d'argent), lisez la suite.

Sinon, sortez directement au **85**.

		Dé 1					
		1	2	3	4	5	6
Dé 2	1						
	2						
	3						
	4						
	5						
	6						

1. Lancez le dé pour la colonne.
2. Relancez le dé pour la ligne.
3. Notez le symbole correspondant à l'intersection de la ligne et de la colonne.

4. Recommencez trois fois les étapes 1 à 3.
5. Comparez la combinaison des 4 symboles obtenus au tableau suivant et empochez vos éventuels gains.

COMBINAISON	GAIN
4 symboles identiques	10 pièces d'argent
3 symboles identiques	4 pièces d'argent
4 symboles différents	3 pièces d'argent
2 paires de symboles	2 pièces d'argent

Comme il y a beaucoup de monde, vous ne pourrez pas faire plus de 5 parties. Quand vous jugerez que Jack a assez joué, allez au **85**.

14

Le pan de mur où se trouve la cible s'écroule devant vous. Les enfants sortent en hurlant de terreur. Le garçon vous supplie :

— Non, pitié ! Restez encore un peu…

Mais la maison disparaît, laissant la plaine complètement déserte. Plus le moindre enfant à l'horizon!

Vous apercevez votre cheval. Il broute tranquillement des brins d'avoine. Jack et vous échangez des regards incrédules (effacez de votre inventaire le petit sac de lin).

Finalement, vous repartez en direction de la brume miroitante baignant l'horizon. Sur la carte, retournez à Belitranne pour continuer votre quête. Vous ne pouvez aller qu'au Brouillard Maléfique (#130). N'oubliez pas de jouer la règle des rencontres aléatoires.

15

Vous vous enragez contre votre mémoire défaillante.

— Jack, trouve-moi la bague. Il me faut le nom de la femme, vite!

Mais l'épée bleutée du chevalier s'abat déjà sur vous. Si vous êtes archer, vous pouvez utiliser votre talent « esquive » pour réussir le test automatiquement. Sinon, effectuez un jet de dextérité (ND 7). Réussi, vous évitez magistralement le coup. Manqué, l'épée glaciale vous blesse à la jambe (vous perdez 4 points de vie).

La voix de la grenouille vous redonne espoir.

— C'est Médard, maître !
— Non, la femme !
— Ciglace !

Vous criez aussitôt le prénom, espérant que ça arrêtera ce combattant obtus. Allez au **105**.

16

Lorsque vous approchez de l'autel, de petites flammèches bleues apparaissent et tournent frénétiquement autour de votre tête telles des guêpes démentes.

— Cette forêt est dangereuse, maître !
— À quel point, Jack ?
— Follement…

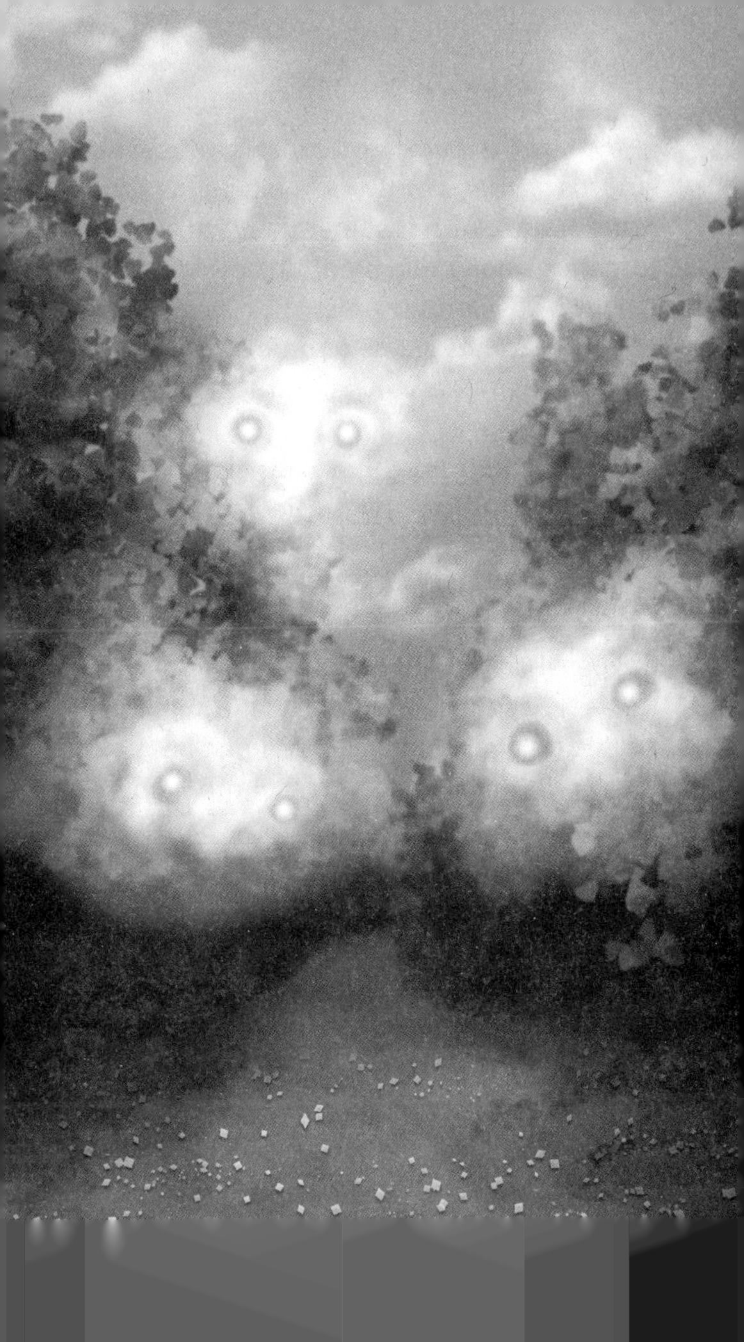

Si vous gagnez ce combat, vous restez sur vos gardes, car un halo bleuté persiste. Vous craignez un instant que ces êtres fantomatiques ne reviennent du royaume des morts. Mais heureusement, il n'en est rien. Soudain, un visage de femme aux yeux en amande et aux oreilles pointues se forme. Elle vous sourit.

— Merci à toi de m'avoir délivrée de l'horrible malédiction que l'on m'avait jetée.

— Je n'ai fait que me défendre, répondez-vous modestement. Mais je suis heureux d'avoir libéré une aussi belle âme.

— Je devine que tu es engagé dans une quête qui te mènera bien plus loin que tu ne le penses. Je t'offre un présent qui t'aidera sûrement.

— On n'accepte que les objets magiques ! rétorque Jack.

— Et pourquoi pas de l'or et des diamants, tant que tu y es ! ironisez-vous.

— Bonne idée ! Une récompense, c'est toujours bon à prendre.

Vous soupirez devant ces propos déplacés.

– Je suis désolé, gente dame. Mon compagnon manque parfois de tact.

Une goutte lumineuse tombe dans votre main. Elle se cristallise en un diamant ovoïde d'une pureté remarquable.

– Voici une larme de cristal. Elle te permettra de combattre les pouvoirs des démons (notez la larme de cristal sur votre fiche de personnage).

– Super ! s'exclame Jack. Nous, on prend tout ce qui nous permet de combattre des démons… et des dragons aussi.

– Merci beaucoup, répondez-vous sobrement, plutôt ému.

La fée s'éloigne et disparaît dans la forêt…

Si vous ne l'avez pas fait, vous pouvez fouiller la carriole renversée au **6**. Sinon, retournez sur la carte à la <u>Forêt des Murmures</u> pour choisir votre prochain déplacement. Vous pouvez aller à Port Lichel (#110) ou aux Monts Lockern (#100). N'oubliez pas de jouer la règle des rencontres aléatoires.

17

Jack brandit sa trouvaille, en sort les trois fléchettes et lance à l'assemblée médusée :

— J'ai toujours mon matériel sur moi. Je suis le meilleur, ne l'oubliez pas.

Le jeune garçon n'affiche plus la même arrogance.

Voici une représentation de la cible :

	DÉ 1	1	2	3	4	5	6
DÉ 2							
1		1	1	3	3	1	1
2		1	5	7	7	5	1
3		3	7	10	10	7	3
4		3	7	10	10	7	3
5		1	5	7	7	5	1
6		1	1	3	3	1	1

C'est le garnement qui commence avec ses quatre tirs. Ensuite, ce sera au tour de

Jack avec ses quatre essais. Pour compter les points, lancez deux dés pour chaque tir. Le premier dé désignera la ligne et le deuxième la colonne où la fléchette se plante. Vous marquez le nombre de points indiqués sur la case touchée. Celui qui totalise le plus de points gagne la partie.

Si Jack gagne, il bondit dans tous les sens, sous le coup d'une joie intense (allez au **14**). S'il perd, allez au **96**. En cas de match nul, les enfants vous jettent dehors au **4**.

18

Vous reconnaissez un sort d'illusion particulièrement vicieux, destiné à vous faire tourner en rond. Suivant votre instinct, vous vous dirigez vers l'estrade. Vous forcez votre jument à traverser l'illusion.

Instantanément, vous vous retrouvez au milieu de la plaine. Derrière vous se trouve un champ de blé pourri. Pas la moindre trace de village à l'horizon !

— T'es génial, maître ! s'écrie Jack.

Vous esquissez un sourire de remerciement, puis foncez droit devant ; laissant derrière vous ces épouvantails et leur illusion dérisoire.

Retournez sur la carte aux Champs de Céréales pour continuer votre route. Vous pouvez aller aux Monts Lockern (#100) ou à Belitranne (#120). N'oubliez pas de jouer la règle des rencontres aléatoires.

19

Vous retournez dans la forêt dévastée. Tous les troncs commencent soudainement à tomber, les uns après les autres. D'abord étonné et amusé, vous paniquez rapidement quand vous comprenez qu'ils le font dans votre direction ! Vous lancez votre cheval au galop pour éviter d'être écrasé.

Tentez votre chance. Chanceux, vous vous en sortez avec panache. Malchanceux, un des troncs percute votre épaule et vous arrache un cri de douleur (vous perdez 2 points de vie et êtes pénalisé d'un malus de 1 point d'habileté pour votre prochain combat).

Vous déboulez dans une plaine ressemblant fortement à celle que vous venez de quitter.

— Tiens, c'est bizarre, marmonnez-vous.

Allez au **69**.

20

Plus vous vous éloignez du Poste Frontière et plus vous avez du mal à distinguer le chemin. Les rares végétaux encore présents sont complètement carbonisés. Le paysage tout entier n'est qu'une nature morte, un tableau désolé. Le sol cendré est complètement déformé. On dirait qu'un géant est venu labourer ces terres sans avoir l'intention d'y semer quoi que ce soit.

À une bifurcation se dresse une grande stèle de pierre noire sur laquelle est inscrit :

VOUS QUI VENEZ D'AILLEURS, VOUS N'IREZ NULLE PART.
BIENVENUE SUR LES TERRES MAUDITES DE MARFAZ.
(← OUEST) MÉZANTÉ, VILLAGE DES ÂMES PERDUES
- 5 KM
(↑ NORD) AUBANNÉE, VILLAGE DES ÂMES ESSEULÉES
- 5 KM

— Ne sommes-nous pas censés être dans la plaine de Shap ? vous interrogez-vous à voix haute.

— D'après le plan, on y est bien ! confirme Jack, tranquillement installé sur votre sac à dos. Puis, il sort son encyclopédie.

— La plaine de Shap est surnommée « le grenier des baronnies ». Grâce à ses terres fertiles, les céréales y prospèrent et sont très parfumées. La grande chaîne des monts de la Lune protège la région des vents froids ; ainsi Shap bénéficie d'un automne doux permettant deux récoltes par an. Les immenses étendues verdoyantes du nord sont réservées à l'élevage.

Bon. Et rien sur ce Marfaz ?

Non, maître. Par contre, les directions indiquées sont inversées par rapport au plan.

Si vous prenez vers l'ouest, allez au **33**.
Si vous choisissez le nord, allez au **66**.

21

Vous déposez une offrande dans le bol (rayez l'objet offert).

– Merci à toi, voyageur. Sache que tu as maintenant la bénédiction de Rogor (notez-la sur votre fiche de personnage).

Vous lui souriez gentiment. Il s'en retourne au temple et vous quittez définitivement le village.

Sur la carte, retournez à <u>Aubannée</u> pour faire votre prochain déplacement. Vous pouvez aller à la Forêt des Murmures (#60) ou aux Champs de Céréales (#70). N'oubliez pas de jouer la règle des rencontres aléatoires.

22

Tous les métiers sont regroupés sur la place. Vous concentrez votre attention sur le forgeron et sur une vieille femme ressemblant à une sorcière. N'oubliez pas que vous pouvez faire vos achats en utilisant uniquement les pièces de brume de Mézanté. Vos propres pièces n'ont aucune valeur ici.

OBJETS	EMPL.	PRIX
POTION DE BRUME	Sac à dos	4 pièces de brume
Permet de récupérer 15 points de vie		
ANTIDOTE DE BRUME	Sac à dos	4 pièces de brume
Annule le statut empoisonné		
EAU BÉNITE DE BRUME	Sac à dos	4 pièces de brume
Annule le statut maudit		
CAPE DE BRUME	Cou	4 pièces de brume
Augmente vos points de vie (maximum de 5)		
CHAPEAU DE BRUME	Tête	8 pièces de brume
Ajoute 1 en savoir de façon permanente		

OBJETS	EMPL.	PRIX
COURONNE DE BRUME	Tête	8 pièces de brume
Ajoute 1 en esprit de façon permanente		
BOUCLIER DE BRUME	Main gauche	8 pièces de brume
Réservé aux guerriers ; ajoute 3 en habileté lors des combats		
ARC DE BRUME	Main gauche	8 pièces de brume
Réservé aux archers ; ajoute 3 en habileté lors des combats		

Quand vous aurez fini vos achats, allez au **55**.

23

Des bagages entassés gênent le passage. Sur les tables et les chaises disposées en lits de fortune, des dizaines de personnes dorment tout leur saoul. Vous avez l'impression que toute la population s'est donné rendez-vous ici.

— On dirait un étal de poissonnier, maître…

Vous atteignez péniblement le comptoir où se trouve le tenancier. C'est un morse humain à longues moustaches. Ses deux grandes défenses d'ivoire lui causent quelques soucis d'élocution :

— Toutes les fambres font prives.

— Ah ? Et qui sont tous ces gens ?

— Ils fiennent des faronnies de Mell et Brey. Ils fuient les démonfs.

— Pourquoi ne vont-ils pas à Shap ?

— Ils font bloquéfs ici à caufe du brouillard maléfique et du monftre marin.

Vous haussez les épaules et prenez congé ; vous faufilant au mieux dans ce désordre. Allez au **85**.

24

La route serpente entre des collines abondamment boisées. Plongé dans son encyclopédie magique, Jack vous en lit un passage.

— Écoutez ça et apprenez, petit maître. Les monts de la Lune sont nommés ainsi à cause de la forme du massif qui ressemble à un croissant de lune. Du haut du col du Croissant – qui culmine à 2000 mètres – on peut contempler le nord de la baronnie de Shap…

– Chuut, dites-vous.

– Non, pas chut. Shap !

– Silence, Jack.

Jack s'arrête aussitôt. Le chant des oiseaux s'est éteint.

– Il règne un silence de mort ici, murmure la grenouille.

– Oui, c'est inquiétant. Il n'y a même pas d'insectes.

– Et où vais-je trouver à manger, moi ?

Soudain, un arbre tombe dans un craquement assourdissant. Un ours immense sort des fourrés en grognant. Votre cheval se cabre de frayeur.

Si vous êtes archer, allez au **34**. Si vous êtes druide, allez au **44**. Si vous êtes guerrier ou magicien, allez au **54**.

« Un ours immense sort des fourrés en grognant »

25

L'épouvantail hausse les épaules.

– C'est simple. Prenez le chemin de droite, puis prenez deux fois à droite, à gauche, à droite, deux fois à gauche, à droite et enfin trois fois à gauche.

Vous le remerciez par principe, et repartez à toute vitesse avant d'avoir de nouveaux problèmes. Allez au **57**.

26

Heureusement, un pan de mur salvateur vous protège. Émergeant au milieu de la poussière, vous vous en sortez avec quelques égratignures (vous perdez 1 point de vie) et une forte toux.

L'éboulement a révélé une salle au sol noirci par les cendres. Des étagères cabossées sont pleines de parchemins brûlés. Dans un bureau déglingué, vous découvrez des documents administratifs signés par un certain Lieutenant Médard. Vous trouvez aussi un coffret finement ouvragé contenant un petit anneau doré. À l'intérieur, deux prénoms sont gravés : « Médard & Ciglace ». Si vous désirez emporter cette alliance en or, notez-la sur votre fiche de personnage.

Enjambant les restes d'une fenêtre, vous contournez les ruines. De petits bruits de pas sautillants s'approchent. Qu'est-ce que Jack a bien pu trouver de son côté ?

Vous le saurez au **48**.

27

– Clairière, droit devant ! annonce Jack en pointant son épée.

Effectivement les tiges ont été couchées pour former un immense cercle. Deux sorties ont été aménagées de la même façon.

Si vous êtes magicien, allez au **41**. Sinon, allez au **82**.

28

Vous vous approchez du brouillard insondable. Étrangement, votre équipement de brume s'illumine. Vous constatez qu'il repousse le gaz coloré ! Avançant à pas mesurés, vous parcourez quelques mètres. Les volutes de gaz coloré qui vous entourent s'intensifient jusqu'à devenir un mur. Des tourbillons forment des yeux écarlates et une sorte de bouche vaporeuse. C'est un véritable visage démoniaque qui apparaît devant vous !

— Personne ne me traversera !

Vous allez devoir combattre cette abomination. Les objets de brume que vous possédez ont leurs effets doublés lors de ce combat.

Si vous êtes vainqueur, allez au **51**.

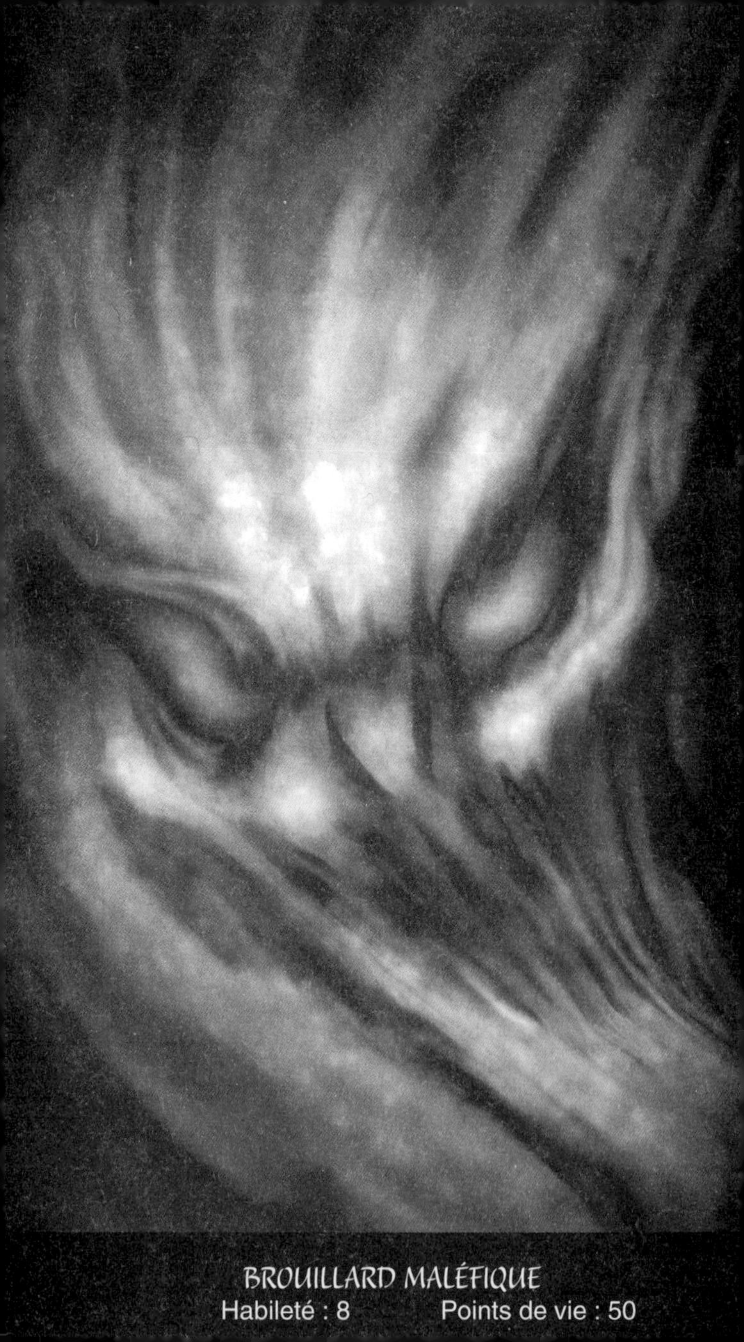

BROUILLARD MALÉFIQUE

Habileté : 8 Points de vie : 50

29

Le courant vous emporte jusqu'à la Forêt des Nymphes. Sur les rives, la végétation se pare d'un bleu-vert aussi étonnant que réconfortant. Les gazouillements incessants des oiseaux offrent une ambiance vivante et agréable ; contrastant fortement avec les vastes plaines maudites dont vous sortez.

Des scintillements étranges apparaissent soudainement. Ils s'intensifient jusqu'à en devenir hypnotiques. Une douce voix se fait entendre.

— La Forêt des Nymphes est interdite aux humains ! Repartez et ne revenez plus ici !

Heureux comme un bébé dans son berceau, Jack s'est déjà rendormi. Vous tentez de résister à une inexplicable fatigue engourdissant votre corps comme votre esprit. Regardant au hasard autour de vous, vous répondez à la mystérieuse voix.

— Je ne suis pas votre ennemi. Je souhaite juste sauver la baronnie des démons.

Des êtres invisibles et impalpables entourent l'embarcation. Ils suspendent un instant leur sort pour prendre une décision. Vous ressentez une désagréable sensation ; comme si votre esprit et vos souvenirs étaient sondés.

Lancez un dé, puis ajoutez ou retranchez les valeurs ci-après en fonction de votre cas.

- Si vous êtes magicien ou druide, ajoutez 3.
- Si vous avez rencontré et soigné deux fillettes, ajoutez 4.
- Si vous avez rencontré deux fillettes, mais que vous ne les avez pas soignées, retranchez 4.
- Si vous avez levé la malédiction de Ciglace, ajoutez 2.
- Retranchez 1 par objet de brume en votre possession (notez que les pièces de brume comptent pour un seul objet, même s'il vous en reste plusieurs).

Si le résultat de ce calcul est égal à 9 ou plus, allez au **117**. Sinon, allez au **7**.

30

Le soir venu, vous parvenez enfin au premier village de la baronnie. Enfin, village est un bien grand mot. Car vos yeux ne voient que des ruines et leurs longues ombres déchirées.

– Tu parles d'un village, c'est un tas de pierres ! peste Jack. Moi qui rêvais de dormir dans un bon lit.

– Trouvons un abri pour la nuit, Jack. Demain, nous reprendrons la route.

– Là-bas, maître ! Une grange ! Il y aura sûrement des tonnes de foin. C'est confortable, le foin.

Passant devant les restes d'une fontaine, vous pénétrez dans la grange. Blotti dans la paille moelleuse, vous ne tardez pas à trouver le sommeil.

Au beau milieu de la nuit, des rires vous réveillent en sursaut. Pointant votre nez sur le pas de la porte, vous êtes éberlué par ce que vous voyez. La place est bondée de gens translucides ! Les ruines se sont transformées en maisons intactes entourées d'étranges auras bleutées ! Pas de doute : c'est un village fantôme !

Soudain, entre deux rires collectifs, vous reconnaissez une voix familière.

— Et c'est ainsi que le grand chevalier Jack de l'ordre royal terrassa le terrible dragon des neiges !

La représentation de Jack est un franc succès. Les spectateurs applaudissent et lancent quelques piécettes phosphorescentes avant de se disperser.

— Regarde, maître ! J'ai gagné de l'argent !

— Formidable, Jack ! Tu n'as pas peur des fantômes ?

— Moi, peur ? Tu plaisantes ou quoi ? J'ai terrassé un démon, moi. Alors des fantômes !

Votre compagnon n'est pas peu fier de sa prestation.

— Et puis, ils sont gentils, reprend-il.

— Qu'est-ce qui te fait dire ça ?

— Ils apprécient mon talent à sa juste valeur. Au fait, la recette a été excellente.

Le visage de Jack rayonne d'un sourire cupide et narquois (notez que Jack possède 12 pièces de brume).

— En tout cas, tu n'achèteras pas grand-chose avec ça, dites-vous en montrant du doigt les piécettes phosphorescentes.

Un garçon qui est resté près de Jack prend la parole :

— C'est la monnaie des brumes, on ne peut l'utiliser que dans notre village. Les pièces normales n'ont aucune valeur ici.

— T'as vu, maître ? Je peux faire des commissions. Si tu veux quelque chose, demande-moi… vous nargue-t-il.

— Prenez garde, déclare l'enfant. Tout ce qui vient de Mézanté y retourne automatiquement à chaque coucher de soleil.

— Hein ?!

— Eh oui, la malédiction est ainsi faite.

— Et pourquoi il n'y a personne, le jour ? demandez-vous.

— Parce qu'on est tous au cimetière, évidemment !

Cette dernière révélation vous cloue le bec. Remerciant le garçon, vous examinez les environs. Allez au **55**.

31

Furetant ça et là, vous constatez rapidement qu'il n'y a que des glaives, des rapières, des sabres et des cimeterres. Bref, de banales armes de guerrier. Elles sont toutes complètement rouillées. Les armures sont aussi en piètre état. Si vous le souhaitez, vous pouvez récupérer les objets suivants :

OBJETS	EMPL.	PRIX DE VENTE
RAPIÈRE ROUILLÉE	Main droite	2 pièces d'argent
Réservée au guerrier, permet d'ajouter 5 points d'habileté au héros pendant un seul combat et déduisez 1 point de dégâts infligé à chaque assaut. Après son utilisation, elle sera détruite		
GLAIVE ROUILLÉ	Main droite	2 pièces d'argent
Réservé au guerrier, déduisez 5 points d'habileté pendant un seul combat et ajoutez 1 point de dégâts infligé à chaque assaut. Après son utilisation, il sera détruit		
ARMURE ROUILLÉE	Corps	2 pièces d'argent
Réservée au guerrier, déduisez 2 points de dextérité quand vous l'équipez et ajoutez 5 point d'habileté pendant un seul combat. Après son utilisation, elle sera détruite		

OBJETS	EMPL.	PRIX DE VENTE
BOUCLIER ROUILLÉ	Main gauche	2 pièces d'argent
Réservé au guerrier, enlève 1 point de blessure reçue par assaut pendant un seul combat. Après son utilisation, il sera détruit		

Ensuite, allez au **133**.

32

— Nous avons visité le temple. Une prêtresse nous a demandé de trouver le capitaine Lancaster, expliquez-vous.

— On va chasser le monstre marin ! renchérit Jack.

Les deux hommes se regardent, interloqués. Celui qui a les pinces de crabe vous répond.

— Je suis Lancaster. Et si je n'avais pas entendu votre grenouille, je vous aurais pris pour un dingue. Suivez-moi.

Il vous mène à son bateau. C'est un vieux rafiot dont les planches craquent dangereusement. Vous craignez que le moindre coup de vent n'envoie cette coquille de noix par le fond.

Vous montez néanmoins à bord. Une fois les amarres larguées, il vous présente son fils Mickael – un petit être à tête d'huître – chargé de la manœuvre.

Derrière vous, le littoral disparaît progressivement. Vous voilà en plein océan.

Tentez votre chance. Chanceux, allez au **45**. Malchanceux, allez au **121**.

33

Les Champs de Céréales putréfiées dégagent une odeur nauséabonde. Quelques arbres racornis et effeuillés bordent le chemin. Jack serre un peu plus votre cou qu'à l'habitude ; ce qui renforce la mauvaise impression que cet endroit dégage.

Plus loin, le sentier s'enfonce entre deux petites collines aux flancs rocheux abrupts. De chaque côté du défilé, les escarpements sont criblés de multiples terriers s'enfonçant dans les profondeurs de la terre. Mais votre arrivée dérange leurs occupants. Lancez un dé. Si le résultat est :

1 : allez au **106**.
2 ou 3 : allez au **116**.
4 ou 5 : allez au **126**.
6 : allez au **136**.

34

Contrairement à votre monture, il en faut plus pour vous surprendre. Vous retombez au sol avec agilité et faites face au danger.

Allez au **72** pour vous défendre.

35

Vous lui tendez la somme demandée (rayez 3 pièces d'argent de votre bourse). Il recule et s'incline avec un grand sourire.

— Bienvenue au Relais des Voyageurs !

Le ton employé est particulièrement cordial et a quelque chose de... féminin, diriez-vous. Ce changement radical d'attitude vous interpelle. À l'intérieur, il n'y a personne. Votre hôte continue son discours d'invitation.

– Nous vous avons réservé la meilleure chambre ; celle qui offre une magnifique vue sur la Forêt des Murmures. Ce soir, nous aurons du gibier en sauce, accompagné d'un gratin de pommes de terre et d'une salade verte.

– On s'active en cuisine ! hurle-t-il.

Soudainement rauque, sa voix vous fait sursauter. Elle n'a plus rien à voir avec l'intonation mielleuse qui vous vantait, il y a encore un instant, un séjour inoubliable. Il fonce à une table, s'y assied et crie :

– Holà, tavernier ! Elle vient cette bière ? Z'allez pas passer la soirée avec des inconnus de passage, si ?

Il se relève, court derrière le comptoir, bombe le torse et déclare en direction de la table qu'il vient de quitter :

– Hey Bob, si t'es pas content, paye ton ardoise ! On respecte les bons clients, ici.

Il réapparaît et vous montre du doigt.

– Jocelyne, qu'est-ce que tu fous? Installe-moi le nouveau à la meilleure table!

Il remplit alors une choppe de bière, va à la table où il s'était assis précédemment, puis déclare :

– Tiens, espèce de soiffard! Et t'as du bol d'être marié à ma sœur, sinon je t'aurais déjà fichu dehors!

Il s'assied, vide la pinte d'un trait et lâche un rot à faire trembler les murs. Puis, il se relève et vous rejoint. De sa voix aiguë, il (ou elle?) s'excuse :

– Ne faites pas attention à ceux-là, ils se chamaillent souvent, comme le reste de la famille. Hi hi hi...

Le rire niais qui clôture sa remarque est déroutant. Il se comporte maintenant comme une mijaurée! Puis, il retourne derrière le bar en tenant une jupe imaginaire.

Le spectacle continue jusqu'à ce qu'il vous apporte votre repas. L'assiette contient de la viande plus que faisandée, des pommes de terre crues non épluchées et une salade terreuse occupée par des limaces. La nausée passée, vous demandez :

— Vous n'allez pas me faire manger ça, j'espère ?

— Vous avez payé. Si vous n'en voulez pas, c'est votre problème ! répond-il d'une voix rauque.

— Miam. Délicieuse, cette limace ! Juteuse à souhait, commente Jack, juché sur la salade.

Ce type est complètement dingue, c'est une certitude. Vous décidez finalement de partir.

Au moment où vous franchissez la porte, le pauvre homme supplie :

— Attendez, restez encore un peu ! Je suis si seul…

Vous hésitez, car sa soudaine sincérité vous touche. Lui donnant une dernière chance, vous en profitez pour essayer d'en savoir un peu plus.

— Où sont les habitants de ce village ?

Le bonhomme vous indique sa propre tête avec son index.

— Un démon est passé la semaine dernière et a logé toutes les âmes des villageois dans ma tête. Vous êtes le premier voyageur qui vient ici depuis tout ce temps.

— Peut-on faire quelque chose pour vous aider ? proposez-vous au pauvre homme.

— Si vous retrouvez ce démon, tuez-le. Ça remettra peut-être les choses en place.

— Je ferai mon possible.

Le tavernier vous serre vigoureusement la main.

— Merci infiniment. J'espère que vous réussirez.

— Bien, je vais y aller maintenant.

— Vous ne voulez pas jouer avec moi ? supplie-t-il avec un air de chien battu.

Qu'allez-vous faire ?

Pour jouer avec lui, allez au **115**. Pour rester sur votre décision, partez au **75**.

36

Profitant d'une trouée entre deux végétaux, vous vous échappez du cercle maudit. Vous galopez à toute vitesse pour regagner la route boueuse et quittez cet affreux endroit.

Retournez sur la carte aux Vergers pour choisir votre prochain déplacement. Vous pouvez aller aux Champs de Céréales (#70) ou passer par la Route des Fées (#90). N'oubliez pas de jouer la règle des rencontres aléatoires.

37

Vous n'avez même pas le temps de palabrer avec ce fou furieux. Il se jette aussitôt sur vous.

Si vous êtes équipé d'objets de brume, ils seront particulièrement efficaces contre cet adversaire d'outre-tombe : tous leurs bonus sont doublés pendant le combat.

Si vous êtes victorieux, le fantôme s'évapore sans laisser de trace. Pendant que vous reprenez votre souffle, Jack part jeter un coup d'œil dans la cabane.

– Où vas-tu, Jack ?

– Quand on tue un adversaire aussi puissant, il y a forcément une super récompense à la clé !

GARDE-FRONTIÈRE

Habileté : 6 Points de vie : 40

Vous le suivez en maugréant. Comme vous vous y attendiez, le mobilier est aussi phosphorescent que les murs.

— Tu vois, il n'y a rien d'exceptionnel.

— Attends, il y a sûrement un passage secret… fait-il en toquant sur les murs brumeux.

Vous le laissez à ses illusions et ressortez. Vous stoppez net en voyant que le fantôme est de nouveau face à vous ! Vos muscles endoloris vous rappellent le terrible affrontement. Pas question de remettre ça !

— Vous aviez gagné le droit de sortir de la baronnie de Shap, déclare l'ectoplasme. Mais comme vous y êtes toujours, vous devez encore m'affronter !

Il dégaine son épée et marche vers vous.

— Jack ! On part tout de suite ! hurlez-vous paniqué.

Jack sort aussitôt de la baraque et saute sur votre épaule. Vous récupérez votre cheval et foncez jusqu'au ponton. Mais le garde-frontière continue de vous poursuivre. Vous bondissez dans la barge et y tirez votre monture.

Le guerrier lève son épée en grognant, puis tranche la corde qui retenait l'embarcation. Vous êtes maintenant livré aux courants de la Nirh. Néanmoins, vous êtes vivant…

Allez au **134**.

38

– C'est aussi peuplé que ça, des champs ? demande Jack.

– Je ne crois pas. Je pense plutôt qu'on tourne en rond…

Soudain, une voix tonne derrière vous, annonçant probablement l'arrivée du maître des lieux.

– Que se passe-t-il, ici ?

Allez au **87**.

39

La taverne n'est qu'une petite hutte ronde comme une balle de paille. À l'intérieur, une rouquine à couettes ébouriffées est assise sur un tabouret de seigle tressé.

Elle est en train de jouer avec des figurines d'orge et une maquette du village faite en grains de maïs collés. Elle déplace deux marionnettes de paille représentant un être humain et une grenouille.

— Tiens, c'est moi, ça ! s'exclame Jack en voyant son effigie.

Il tend sa patte palmée à la fillette et fait les présentations :

— Jack, chevalier !

Étonnée, la fillette regarde Jack et répond :

— Ma... euh, Chloé, princesse. Hi hi hi !

Puis, elle se tourne vers vous et déclare :

— Encore un village maudit, n'est-ce pas ? vous lance-t-elle sans détour.

— Et c'est quoi la spécialité de celui-ci ? demandez-vous avec la même répartie.

— Il abrite les âmes des enfants de la baronnie. Tous ceux qui y passent sont condamnés à jouer jusqu'à la fin des temps.

— Et comment arrête-t-on de jouer ?

— Facile ! Soit vous battez les enfants aux fléchettes en respectant leurs règles peu équitables, soit vous inversez la situation.

— Inverser la situation ? C'est-à-dire ? demandez-vous, piqué au vif.

— Vous vous cachez dans un endroit, la charrette par exemple, et vous attendez. Si vous avez de la chance, ils vous chercheront. S'ils vous trouvent, dites-leur qu'ils ont gagné au jeu de la cachette ! Le jeu s'arrêtera et vous pourrez vous échapper. Ils ne peuvent pas déroger à la malédiction.

— Viens avec nous, on jouera ensemble ! propose Jack.

— Ne t'inquiète pas pour moi, je suis bien ici. Bonne chance et veille bien sur ton maître. Hi hi hi !

— Pas de problème, répond fièrement celui-ci.

Puis, elle retourne à son jeu de marionnettes.

Vous sortez au **4**.

40

Un petit panneau indique que le port est à deux kilomètres. Vu la distance et le magnifique clair de lune, vous décidez d'y aller à cheval. Vous retournez donc à l'étable. Une palefrenière est en pleine discussion avec un groupe de cavaliers fantômes lorsque vous ressortez avec votre jument.

Vous vous engagez ensuite sur le petit chemin. Au loin, une aura bleutée luit comme un phare. Arrivé sur place, vous constatez que seule la baraque brille. En contrebas, le ponton et la barge qui y est amarrée ont un aspect normal. Soudain, la porte s'ouvre violemment. Un chevalier en armure apparaît et vous lance une sommation.

— Halte ! Personne ne passe la frontière sans avoir affronté le lieutenant Médard, gardien de la baronnie de Shap. En garde !

Lorsqu'il la dégaine, son épée émet un son métallique aux intonations funestes.

Si vous possédez une alliance en or, allez au **137**. Sinon, allez au **37**.

41

Une magie perverse émane de ce cercle de culture. Dès que vous lancez votre contre-sort, des ricanements claquants retentissent. Mais ils se taisent rapidement lorsque les murs de maïs disparaissent. La plaine redevient visible et les plants de céréales reprennent une hauteur normale.

— Bien joué, maître ! vous félicite Jack. Je n'aurais pas fait mieux.

Vous esquissez un sourire. Fonçant droit devant, vous laissez ces êtres étranges et leur magie dérisoire.

Retournez sur la carte aux Champs de Céréales pour continuer votre route. Vous pouvez aller aux Monts Lockern (#100) ou à Belitranne (#120). N'oubliez pas de jouer la règle des rencontres aléatoires.

42

Après une heure de route, vous croisez une dizaine de paysans déprimés convoyant leurs maigres possessions. Un couple s'approche de vous.

– Hé, le voyageur ! Repartez ! Le pays est envahi par des démons.

– Rassurez-vous, nous sommes là pour les détruire ! déclare Jack en brandissant un poing déterminé. Nous sommes des héros de Gar…

– Guérison ! criez-vous pour couvrir le mot « Gardolon » que Jack s'apprêtait à prononcer.

Vaut mieux ne pas dévoiler notre identité, songez-vous.

– Des héros de guérison ? répète la femme comme un perroquet. Elle se retourne et interpelle les autres.

– Ce sont des guérisseurs avec une grenouille magique. Amenez les malades !

Un vieillard tremblant vous aborde.

– J'ai mal aux genoux et au dos. Pouvez-vous faire quelque chose ?

Une autre femme, accompagnée de deux fillettes aux visages boursouflés, vous supplie.

— Mes filles ont été piquées par des guêpes. Aidez-les, par pitié !

Arrive ensuite un jeune homme boiteux.

— J'ai la jambe cassée ! Réparez-la, s'il vous plaît !

C'est un véritable cauchemar. Ils ont tous quelque chose qui ne va pas. Qu'allez-vous faire ?

Pour en soigner quelques-uns, allez au **112**. Sinon, refusez poliment au **128**.

43

Le délicieux jus sucré comble vos papilles. Puis, un goût horrible vous saisit jusqu'au fond de la gorge. Vous êtes pris de spasmes violents et, dans un râle paniqué, vous recrachez instantanément la chair pourrie. Votre estomac est sens dessus dessous, et votre tête vous fait un mal du tonnerre (vous perdez 5 points de vie et obtenez le statut empoisonné).

Devant votre réaction, Jack cesse d'hésiter et jette son fruit par terre.

Qu'allez-vous faire maintenant ?

Pour explorer les arbustes noirs, allez au **109**. Pour aller voir les arbres plus larges, allez au **119**. Si vous ne l'avez pas déjà fait, vous pouvez aussi vous rapprocher des buissons orangés au **139**. Enfin, si vous préférez quitter cet endroit, retournez sur la carte aux Vergers pour votre prochain déplacement. Vous pouvez aller aux Champs de Céréales (#70) ou passer par la Route des Fées (#90). N'oubliez pas de jouer la règle des rencontres aléatoires.

44

Vous utilisez vos pouvoirs psychiques pour calmer votre monture. Mettant rapidement pied à terre, vous faites face au danger.

Allez au **72** pour vous défendre.

45

Soudain, le bateau craque violemment. Les grincements s'amplifient au point de vous persuader que la coque est prise dans la gueule d'une monstruosité échappée des abysses.

– C'est le monstre ! hurle le petit Mickael en bavant. On va tous mourir !

Dans un nuage d'écume, une gigantesque tête cornue surgit des eaux ! Son rugissement accompagné de relents fétides et ses yeux d'un rouge flamboyant sont une invitation à la mort. C'est un basilic ! Terrassez-le et vous serez un héros à Port Lichel.

Le basilic infernal possède un pouvoir spécial : « souffle maudit ». Il s'active lorsque le dé d'assaut fait 1 ou 2. Il double alors les dégâts qu'il vous inflige. Bonne chance ! Les bonus suivants sont accordés pour tout le combat si vous avez les conditions requises :

- Bénédiction d'un dieu mineur (Rogor ou Reinia) : +1 point d'habileté par bénédiction (effacez celles que vous utilisez).

- Bénédiction d'un dieu majeur (Solaris ou Lunaris) : le basilic perd son pouvoir spécial (effacez celle que vous utilisez).
- Les effets des équipements de corail sont doublés.

Si vous êtes vainqueur, la gigantesque créature flotte à la surface. Aussitôt, Jack saute du bateau et atterrit sur le corps inanimé du monstre.

— Que fais-tu, Jack ? Tu es fou ?!

— Ne t'inquiète pas. Je lui prends juste son œil !

— Mais que veux-tu faire avec ?

— Je suis certain qu'il est magique, t'as vu comme il brille ? Gnnn… Gnnn… maître, aide-moi, s'il te plaît. Je n'arrive pas à l'arracher…

Plus pour assurer votre tranquillité que par réelle solidarité, vous bondissez, plongez vos mains nues dans l'immonde chair et arrachez l'œil de la bête. Vous ne savez pas à quoi cela pourrait servir, mais Jack

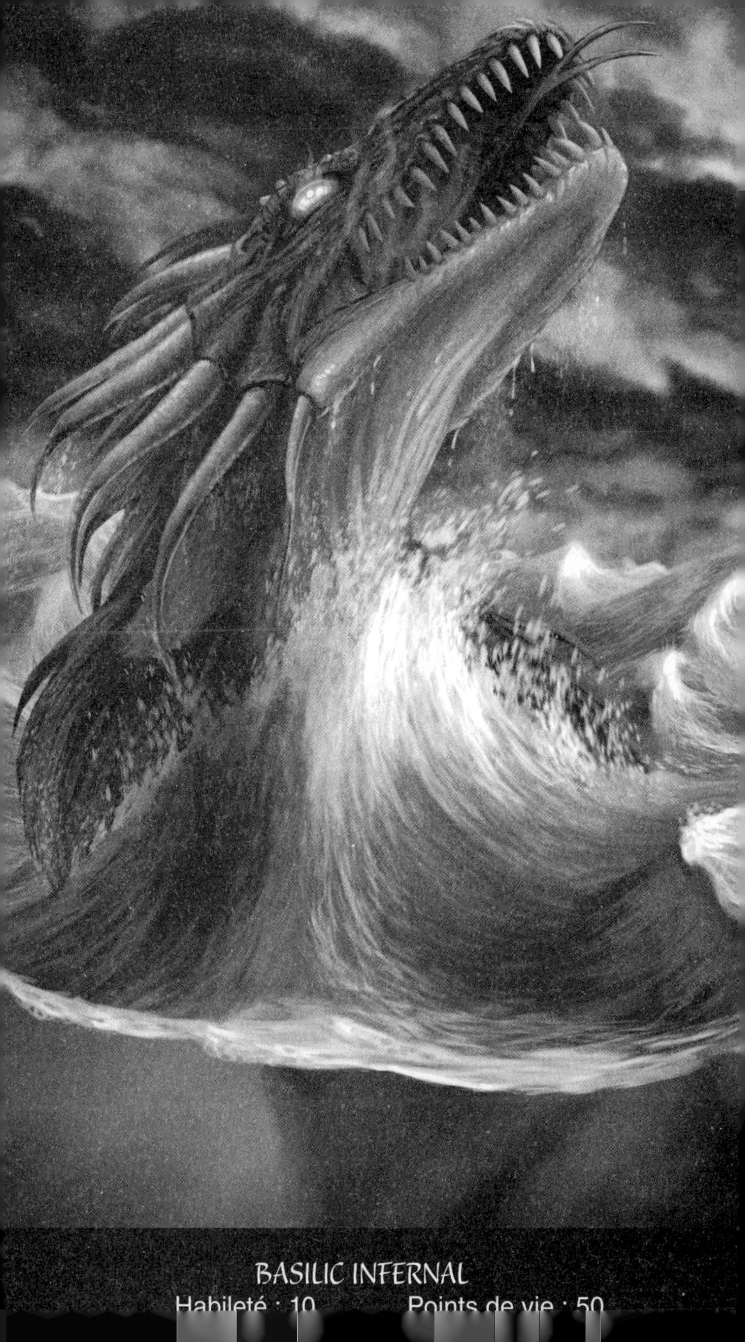

BASILIC INFERNAL

Habileté : 10 Points de vie : 50

est tout fier de son trophée dégoulinant (notez que vous possédez un œil de basilic).

Le capitaine et son fils vous félicitent. Mais ils déchantent bien vite.

– Le bateau prend l'eau ! Rentrons vite !

À peine avez-vous débarqué que la nouvelle fait immédiatement le tour du port. Tous les habitants crient de joie et vous offrent un festin digne d'un roi (vous récupérez 20 points de vie).

Mais le temps vous est compté. Il faut déjà quitter le village. Juste avant votre départ, la prêtresse de Reinia s'approche de vous :

– Vous nous avez libérés de ce monstre maléfique. Nos amis les dauphins sont revenus. Merci infiniment.

Elle vous tend une superbe bague ornée d'une perle scintillante.

– Avec ceci, notre déesse sera toujours auprès de vous (notez que vous avez une bague de chance qui vous permettra d'être automatiquement chanceux lors d'un test de chance ; elle est utilisable une seule fois).

Retournez sur la carte à <u>Port Lichel</u> pour faire votre prochain déplacement. Vous ne pouvez aller qu'au Brouillard Maléfique (#130). N'oubliez pas de jouer la règle des rencontres aléatoires.

46

Vous implorez la divinité de vous aider dans cette épreuve (rayez la bénédiction utilisée). Vous êtes alors entouré d'une aura qui commence à écarter la brume multicolore. Une petite voix résonne dans votre tête.

— Ne crains rien. Je te protégerai.

Rassuré, vous avancez ainsi sur quelques mètres. Les volutes de gaz coloré qui vous entourent s'intensifient jusqu'à devenir un mur. Des tourbillons forment des yeux écarlates et une sorte de bouche vaporeuse. C'est un véritable visage démoniaque qui apparaît devant vous !

— Personne ne peut passer à travers moi !

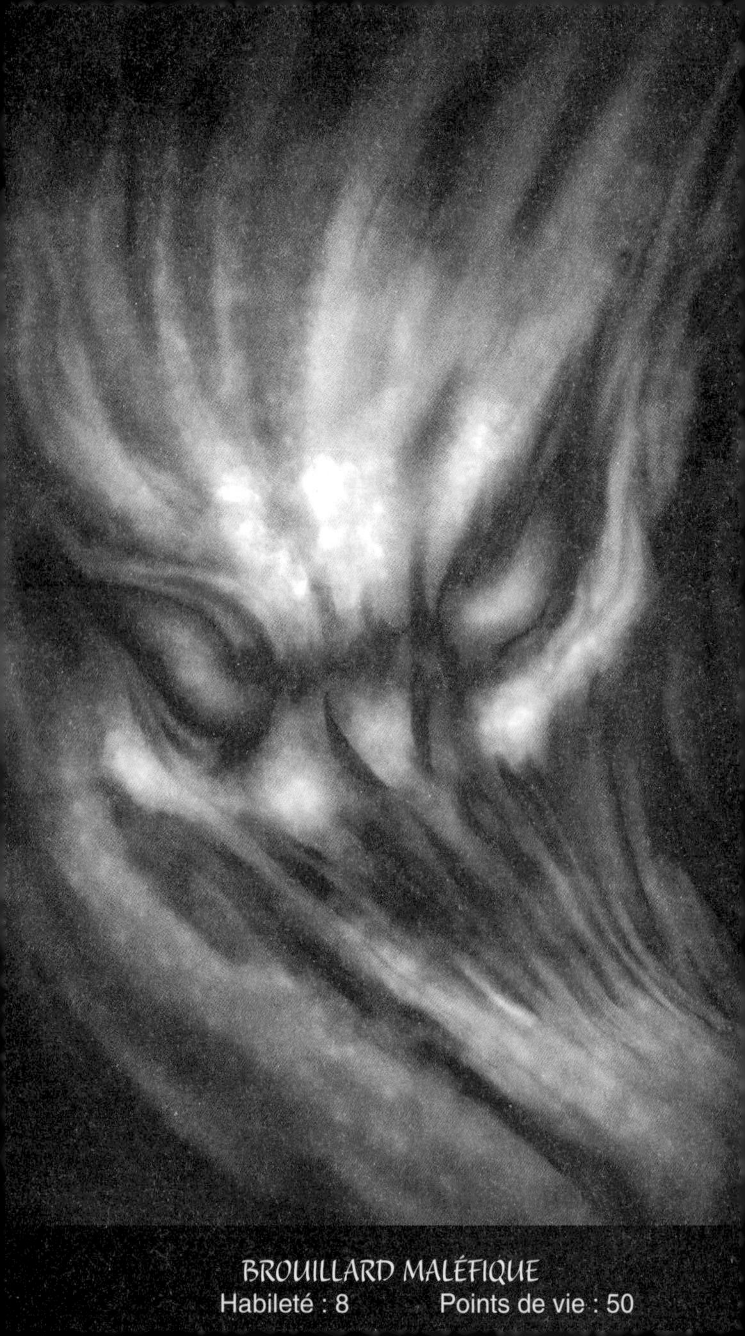

BROUILLARD MALÉFIQUE

Habileté : 8 Points de vie : 50

Vous allez devoir combattre cette abomination. La protection divine vous permet de recevoir 1 point de blessure en moins à chaque assaut.

Si vous êtes vainqueur, allez au **51**.

47

Soudain, un gros poisson ailé jaillit des eaux. Ses crocs effilés claquent frénétiquement et ses yeux rouge vif brillent de cruauté. L'animal plonge et resurgit aussitôt dans votre dos. Vous allez devoir affronter ce mutant carnivore.

Si vous êtes vainqueur, lorsque le cadavre tombe dans l'eau, il est immédiatement dévoré par ses congénères dans un bouillonnement de sang verdâtre. Cette rivière regorge d'horribles créatures.

Allez au **29**.

PIRANHA AILÉ

Habileté : 5 Points de vie : 15

48

Dès qu'il vous aperçoit, Jack éclate de rire.

— T'es tout sale ! T'as trébuché sur un clou ?

Vous vous époussetez rapidement. La moutarde vous monte au nez.

— Bon ça va ! Et il a trouvé quelque chose, le grand chevalier ?

— Oui, un médaillon magique ! lance la grenouille, brandissant fièrement sa trouvaille.

— Est-il vraiment magique ? vous enquérez-vous en scrutant l'hirondelle gravée dessus.

— Bien sûr !

— Bon, on verra ça plus tard (notez que vous possédez un médaillon magique).

Allez au **20**.

49

Vous pénétrez dans un immense empilement d'épis de maïs. Des gamins vous attendent autour d'une grande table. Un garçon aux cheveux courts et noirs comme la nuit referme la porte et déclare :

— Adulte ! Tu dois chercher la sortie. Mais comme tu ne la trouveras pas, amusons-nous !

Les autres enfants hurlent de joie en levant les bras au ciel.

— On va jouer aux fléchettes !

— Chouette ! Je suis bon aussi à ce jeu, lance Jack à la cantonade. Je peux jouer, maître ?

— Vas-y, répondez-vous dépité.

— Super ! Tu vas voir, je suis imbattable ! déclare-t-il en se désignant du pouce.

— Fais attention à toi, la grenouille. Je suis le meilleur du village ! répond le garçon arrogant.

— Et moi, de tout le royaume de G…

Vous bousculez Jack pour l'empêcher de divulguer trop d'informations sur votre identité. Dans la foulée, vous faites diversion.

— Et on gagne quoi ?

— La sortie ! Ça vaut le coup, non ? Comme vous n'avez pas de fléchettes, je vous en donne une. Je suis gentil, vous voyez ?...

Des ricanements surgissent lorsque l'adversaire de Jack sort quatre fléchettes de sa poche.

Si Jack a trouvé un petit sac de lin, allez au **17**. Sinon, allez au **107**.

50

Le soir venu, vous arrivez à Aubannée : le premier village de la baronnie de Shap. Tout en avançant dans la rue principale, vous ne voyez pas âme qui vive. Vous lancez quelques appels, mais personne ne répond.

— Cet endroit est complètement abandonné, concluez-vous à haute voix.

— Là-bas ! crie Jack. Y'en a un qui a oublié d'éteindre la lumière !

À la faveur du crépuscule, vous distinguez une lueur provenant d'une grande baraque. Au-dessus de l'entrée, l'enseigne « Relais des Voyageurs » a été raturée et modifiée en « Auberge des Villageois ».

— Il y a des petits plaisantins, par ici…

Arrivé devant la porte, vous tendez l'oreille. Aucun bruit ne vous parvient. Soudain, le battant s'ouvre et un gros bonhomme apparaît.

— Alors, le voyageur, ça va ?

Son sourire édenté vous effraie quelque peu, mais il a l'air d'un brave type.

— Bonsoir, répondez-vous. Puis-je passer la nuit ici ?

— Bien sûr, mon gars, répond-il en mettant ses mains velues dans ses poches. Ce sera une pièce d'argent par client.

Vous lui tendez la pièce qu'il demande, mais il vous regarde d'un air sévère.

— Tu ne sais pas compter ? Tu crois que le canasson va se goinfrer aux frais de la maison ?

Il lève sa main et montre deux doigts charnus.

— Toi et ta monture, ça fait deux !

— Un cheval, ce n'est pas une personne ! conteste Jack. Vous n'êtes qu'un voleur !

— Jack, ce n'est pas le moment ! chuchotez-vous en faisant les gros yeux.

— Tiens donc, un autre client. Ça vous fera donc trois pièces d'argent, déclare-t-il en tendant la main, un sourire narquois aux lèvres.

Vous soupirez de dépit. Si cette grenouille savait se taire, la vie serait bien plus facile…

Si vous payez 3 pièces d'argent, allez au **35**. Sinon, allez au **75**.

51

Vous finissez par avoir raison du brouillard maudit ! Il se dissipe en fumerolles silencieuses, disparaissant peu à peu dans les airs. Vos yeux ont alors le plaisir de découvrir une plaine verdoyante. Au loin, vous voyez une architecture colossale indiquant l'entrée de la ville de Shap.

Retournez sur la carte au Brouillard Maléfique pour votre dernier déplacement vers Shap (#200). N'oubliez pas de jouer la règle des rencontres aléatoires.

52

À présent, vous traversez des semblants de pâturages. Les grandes étendues uniformes sont recouvertes d'un tapis d'herbe jaunie. Au loin, vous remarquez un troupeau de buffles. Mais en approchant, un spectacle effrayant s'offre à vous : des squelettes d'animaux broutent l'herbe sèche !

— Ils devraient manger plus, ils sont un peu trop maigres, ironise Jack.

— Justement, on va les éviter. Des fois qu'ils aient besoin de changer de régime alimentaire…

Pour une fois, Jack et vous êtes sur la même longueur d'onde. Vous riez tous deux de cette plaisanterie.

— Hue Cocotte ! criez-vous.

Soudain, la terre tremble et un énorme monticule de terre se dresse devant vous. Il en émerge une taupe géante. Aussi grosse qu'un bœuf, elle tourne la tête et vous renifle. S'aidant de ses griffes, elle rampe vers vous en labourant le sol. Vous devez prendre l'initiative face à ce prédateur inattendu.

Si vous êtes archer, allez au **64.** Si vous êtes druide, allez au **74.** Si vous êtes guerrier, allez au **84**. Si vous êtes magicien, allez au **94**.

53

— Je suis désolé, mais je suis un héros et non un fermier, rétorquez-vous.

— Comment oses-tu renier le dieu qui protège cette baronnie ! gronde-t-il en jetant furieusement le bol.

Paniqué, votre cheval devient incontrôlable. Vous sautez juste avant d'être désarçonné. Il détale au grand galop.

SANGLIER MAUDIT

Habileté : 4 Points de vie : 40

De son côté, le prêtre est redevenu un sanglier normal. Vous allez devoir assumer votre déni, car la bête charge aussitôt.

Lorsque l'animal s'écroule, son corps se transforme en statue de terre glaise. Peu après, elle se craquelle et part en poussière.

– C'est la statue du temple. Elle a sûrement été maudite, conclut brillamment Jack.

Grâce à cette victoire, vous avez annulé le monstre aléatoire « sanglier maudit ». Si le dé désigne ce monstre lors d'une future rencontre aléatoire, considérez qu'il n'y a pas de combat.

Après une demi-heure de recherches, vous retrouvez enfin votre monture. Elle broute nonchalamment un des rares carrés de verdure du coin. Vous vous remettez en selle et quittez définitivement le village.

Sur la carte, retournez à Aubannée pour faire votre prochain déplacement. Vous pouvez aller à la Forêt des Murmures (#60) ou aux Champs de Céréales (#70). N'oubliez pas de jouer la règle des rencontres aléatoires.

54

Vous êtes désarçonné. Faites un test de dextérité (ND 5).

Réussi, allez au **86**. Manqué, allez au **8**.

55

Mézanté est un lieu incroyable. L'étrange métamorphose de ses ruines diurnes a de quoi dérouter le commun des mortels. Enterrés à six pieds sous terre, ses défunts habitants vivent pourtant bel et bien, une fois la nuit venue. Qu'allez-vous faire (n'oubliez pas que vous ne pouvez visiter chaque endroit qu'une seule fois) ?

Visiter le marché au **22**. Entrer dans la taverne au **77**. Aller à l'auberge au **99**. Partir pour le port au **40**. Retourner vous coucher dans l'écurie au **111**.

56

Vous implorez la divinité de vous aider dans cette épreuve (rayez la bénédiction utilisée). Vous êtes alors entouré d'une aura qui écarte la brume multicolore. Finalement, une formidable tempête balaye la brume maudite et la fait complètement disparaître !

Lorsque les éléments divins se calment enfin, vos yeux ont le plaisir de découvrir une plaine verdoyante. Au loin, vous voyez une architecture colossale indiquant l'entrée de la ville de Shap.

> Retournez sur la carte au Brouillard Maléfique pour votre dernier déplacement vers Shap (#200). N'oubliez pas de jouer la règle des rencontres aléatoires.

57

Vous arrivez au village des Blés. Quelques maisons de paille sont regroupées autour d'une estrade de blé tressé sur laquelle se trouve un trône de maïs. Les habitants sont tous des épouvantails ! Certains se baladent et d'autres discutent tranquillement.

— Bon, lequel d'entre vous est Mânes-Qein ? demande Jack en fronçant ses sourcils de paille. Je désire lui botter les fesses !

— Mais qu'est-ce que tu fais, Jack ! grondez-vous furieux.

— Ne m'dis pas que t'as peur d'un tas de foin ambulant !

— Ce n'est pas ça, mais je pensais faire une enquête un peu plus subtile. Tu comprends, espèce de fétu têtu ?

— La subtilité ? Mais nous sommes des héros ! Nous sommes faits pour la bataille, pas pour les palabres. Et puis, il est hors de question que je reste sous cette forme ignoble. On trouve ce méchant bonhomme, on le tue et on repart pour Shap. C'est simple, non ?

L'assurance et l'insouciance de cette grenouille ne cesseront jamais de vous surprendre. Vous finissez par vous demander quel fut réellement son rôle lors de la bataille finale contre Deltamo. De toute façon, c'est bien le cadet de vos soucis. La voix qui tonne derrière vous à cet instant annonce l'arrivée du maître des lieux.

— Que se passe-t-il, ici ?

Allez au **87**.

58

Quelle Divinité priez-vous ?

S'il s'agit de Rogor ou de Reinia, allez au **46**. S'il s'agit de Solaris ou de Lunaris, allez au **56**.

59

À l'intérieur de la cabane de blé, un comptoir longe intégralement les murs Nord et Ouest. Deux jumelles aux cheveux roux et bouclés vous adressent un bonjour jovial.

Elles attendent patiemment que vous passiez commande. Tous les objets en vente sont en paille tressée (sauf le porridge).

Les fillettes ne rachèteront qu'un seul objet : une fourche, pour le prix attractif de 10 pièces d'argent.

OBJETS	EMPL.	PRIX
PORRIDGE	Sac à dos	5 pièces d'argent
Permet de récupérer 10 points de vie		
ÉPÉE DE PAILLE	Main droite	5 pièces d'argent
Réservée aux guerriers, ajoute 1 point aux dégâts infligés à chaque assaut pendant un seul combat		
LOT DE FLÈCHES EN BLÉ DUR	Main droite	5 pièces d'argent
Réservé aux archers, ajoute 1 point aux dégâts infligés à chaque assaut pendant un seul combat		
BÂTON DE PAILLE	Main droite	5 pièces d'argent
Réservé aux druides, ajoute 1 point aux dégâts infligés à chaque assaut pendant un seul combat		
BOUCLIER DE PAILLE	Main gauche	5 pièces d'argent
Réservé aux guerriers, ajoute 2 points d'habileté pendant un seul combat		
CHAPEAU D'ORGE TRESSÉ	Tête	5 pièces d'argent
Tous les profils, annule toutes les blessures reçues pendant un seul assaut		

OBJETS	EMPL.	PRIX
VÊTEMENTS DE PAILLE	Corps	5 pièces d'argent
Tous les profils, enlèvent 1 point aux blessures reçues à chaque assaut pendant un seul combat		

Quand vous aurez fini vos commissions, sortez au **4**.

60

Le chemin de terre s'enfonce dans la forêt. Le feuillage est si dense que la lumière du jour peine à le traverser. Las d'être écorché par les branches, vous mettez pied à terre. Progressant lentement dans la pénombre, vous prenez soin d'éviter les racines sournoises barrant le chemin.

Si vous êtes archer, rendez-vous au **71**. Si vous êtes magicien, rendez-vous au **81**. Si vous êtes druide, allez au **91**. Si vous êtes guerrier, allez au **101**.

61

Vous vous rendez compte que c'est le même prénom qui est inscrit sur l'alliance. Lorsque vous la lui montrez, la lueur de son regard s'intensifie.

— C'est ma bague de fiançailles ! Où l'avez-vous trouvée ?

Au Poste Frontière, près du pont.

Elle se met à sangloter.

— Que s'est-il passé ? demandez-vous.

Elle s'assied sur un tabouret translucide en serrant un mouchoir bleuté entre ses mains fines.

— Il y a une semaine, un démon a maudit toute la région. Le jour, mon spectre harcèle les voyageurs à la recherche de ma bague. Quant à mon époux, il a tout oublié et fait son travail de douanier au port du village.

— J'espère qu'elle soulagera votre malheur, dites-vous en lui tendant l'alliance.

Une lueur d'espoir illumine ses yeux. Elle serre intensément le bijou contre son cœur (rayez l'alliance de vos possessions).

— Grâce à vous, je vais tenter de lever notre malédiction. Partez vite. Sinon, vous serez prisonnier de ce village pour toujours.

Sans demander votre reste, vous récupérez votre jument. Au moment de partir, elle ajoute :

– Où que vous alliez, faites attention. N'ayez confiance en personne. Les démons ont tout changé, même les plus belles choses. J'ai même entendu dire qu'un brouillard maléfique entoure Shap et isole la ville.

Vous la remerciez, puis quittez Mézanté à toute vitesse. Un bosquet vous sert d'abri de fortune pour le reste de la nuit (vous ne regagnez aucun point de vie).

Grâce à cette bonne action (notez que vous avez levé la malédiction de Ciglace), le monstre aléatoire « fille maudite » n'existe plus. Si le dé désigne cette créature lors d'une future rencontre aléatoire, considérez qu'il n'y a pas de combat.

Au petit matin, vous reprenez la route. Sur la carte, retournez à Mézanté pour faire votre prochain déplacement. Vous pouvez aller aux Vergers (#80) ou aux Champs de Céréales (#70). Jouez la règle des rencontres aléatoires.

62

Malgré tous vos efforts, vous ne parvenez pas à les convaincre de prendre la mer. Vous continuez vos recherches, mais il n'y a malheureusement personne d'autre sur le port à l'abandon.

Allez au **85**.

63

Le comptoir de la boutique prend toute la largeur du mur. Mais le plus surprenant, c'est l'immense aquarium se trouvant au-dessus. Il est occupé par une superbe sirène ! Elle sort la tête de l'eau et vous salue respectueusement.

– Bienvenue dans l'Antre d'Ondine, voyageur. N'hésitez pas à musarder, écoutez votre cœur. Je suis sûre que vous trouverez votre bonheur.

– Je peux la rejoindre, maître ? Cet aquarium a l'air très confortable.

– Voyons, Jack. Ce ne serait pas correct…

Vous examinez les nombreuses étagères. La fièvre acheteuse monte subitement. Il y chez Ondine de quoi faire des folies…

OBJETS	EMPL.	PRIX
SEICHE GRILLÉE	Sac à dos	5 pièces d'argent
Permet de récupérer 10 points de vie		
CASSEROLE DE POISSONS	Sac à dos	10 pièces d'argent
Permet de récupérer 20 points de vie		
SALADE D'ALGUES	Sac à dos	5 pièces d'argent
Annule le statut empoisonné		
ŒUFS D'HIPPOCAMPE	Sac à dos	5 pièces d'argent
Annule le statut maudit		
ÉPÉE DE CORAIL	Main droite	15 pièces d'argent
Réservée aux guerriers, ajoute 1 point aux dégâts, enlève 3 points d'habileté		
BÂTON DE CORAIL	Main droite	15 pièces d'argent
Réservé aux druides, ajoute 1 point aux dégâts, enlève 3 points d'habileté		

OBJETS	EMPL.	PRIX
BAGUETTE MAGIQUE DE CORAIL	Main droite	15 pièces d'argent
Réservé aux magiciens, ajoute 1 point aux dégâts, enlève 2 points d'habileté		
ARC DE CORAIL	Main gauche	15 pièces d'argent
Réservé aux archers, ajoute 3 points d'habileté, enlève 2 points de dextérité		
FLÈCHES DE CORAIL	Main droite	20 pièces d'argent
Réservées aux archers, ajoutent 1 point aux dégâts		
ARMURE DE CORAIL	Corps	10 pièces d'argent
Réservée aux guerriers, ajoute 3 points d'habileté, enlève 2 points de dextérité		
COTTE DE CORAIL	Corps	10 pièces d'argent
Réservée aux archers, ajoute 3 points d'habileté, enlève 2 points de dextérité		
TOGE DE CORAIL	Corps	10 pièces d'argent
Réservée aux magiciens, ajoute 3 points d'habileté, enlève 2 points de dextérité		
TUNIQUE DE CORAIL	Corps	10 pièces d'argent
Réservée aux druides, ajoute 3 points d'habileté, enlève 2 points de dextérité		

Quand vous aurez fini vos commissions, allez au **85**.

64

Vous armez une flèche et visez son museau. La taupe émet un cri strident lorsque le projectile se plante dans sa chair.

Elle agite ses grosses pattes griffues devant elle pour combattre un agresseur qu'elle ne peut voir. Puis, elle s'enfuit rageusement, rejetant un mélange de terre et de cailloux que vous évitez avec souplesse.

Allez au **5**.

65

La roche dure et lisse rend l'ascension délicate. À mi-chemin du sommet, Jack se tourne vers vous, la langue pendante et le regard plaintif.

– Je… Je ne crois pas qu'il soit utile d'aller plus loin, maître.

– Pourquoi changes-tu d'avis ?

– Quand je fais un bond en avant, je glisse et recule. Ce n'est pas efficace.

– Allez, grimpe sur mon épaule, petit fainéant…

Vous reprenez la pénible ascension.

– Plus vite, maître !

– Faudrait pas non plus que tu abuses de ta position !

Malgré votre vitesse d'escargot – enfin, selon les critères de Jack – vous finissez par atteindre le sommet. Creusé à même la roche, l'antre du temple est surplombé par une sculpture de dragon aux ailes démesurées qui le plonge dans les ténèbres.

Passant entre deux piliers d'obsidienne, vous êtes soudainement paralysé. Sous vos yeux horrifiés, votre ombre s'anime de sa propre volonté et entre dans le temple. Contre toute attente, la partie la plus sombre de votre âme fait son pèlerinage !

Il vous est impossible de savoir ce qu'il se passe là-dedans. Immobile, vous échafaudez les pires hypothèses : de la mort lente jusqu'à l'asservissement en tant que serviteur du mal. Une demi-heure plus tard, votre ombre revient et reprend sa place en vous libérant de l'horrible stase.

Aux tréfonds de votre âme, une vision malsaine vous envahit. Il y est question de prière contre nature, de don de parcelle d'âme. Vous en déduisez qu'un pacte a été conclu entre votre ombre et les forces sombres, en échange de « quelque chose ». En tout cas, l'effet est immédiat : vous perdez définitivement 2 points de votre total maximum de points de vie.

Sachez cependant que cela vous permet désormais d'être reconnu comme un proche de certaines créatures maléfiques. Ainsi, le monstre aléatoire « squelette maléfique » ne vous attaquera plus, car il vous considère désormais comme un allié. Si le dé désigne ce monstre lors d'une future rencontre aléatoire, considérez qu'il n'y a pas de combat.

Si vous êtes maudit, notez que vous avez aussi reçu la bénédiction de Lunaris.

Traumatisé par cette expérience, vous redescendez le plus vite possible de cet horrible endroit.

Sur la carte, retournez aux Monts Lockern pour faire votre prochain déplacement. Vous pouvez aller à Port Lichel (#110) ou à Belitranne (#120). N'oubliez pas de jouer la règle des rencontres aléatoires.

66

La route traverse des champs de maïs d'un brun maladif. Les longues feuilles racornies et sèches craquent sous les bourrasques de vent. Le sol est boueux et une myriade d'insectes colonise les flaques d'eau. À votre passage, ils s'envolent et commencent rapidement à vous harceler.

CLAP !

— Tu vas bien, maître ?

— Quoi ?

— Pourquoi te tapes-tu comme ça sur la joue ?

— Ces fichus insectes n'arrêtent pas de me piquer !

— Mais ils sont délicieux. Miam…

Lassé de servir de festin à ces maudites bestioles, vous lancez le galop. Traversant une véritable tempête d'insectes, vous parvenez enfin à les semer.

– Ouah ! Je me suis régalé. Pas toi, maître ?...

– Pfuuu... Tu parles. Pfuuu... Pfuuu... J'en ai plein la bouche.

– Il faut bien mâcher. C'est important. Sinon, ils vont te rester sur l'estomac, rajoute Jack, bienheureux.

Comme quoi, les goûts ne se discutent pas. Si Jack en a fait son festin, vous perdez quant à vous 3 points de vie et obtenez le statut empoisonné.

Après cette mésaventure, continuez votre voyage au **11**.

67

Vous vous dirigez vers le comptoir où la serveuse fait les yeux doux à un jeune homme au visage angélique.

Vous passez commande.

— Mademoiselle! Un café, s'il vous plaît!

Elle vous sert distraitement une tasse contenant un liquide bleu foncé, puis retourne aussitôt auprès de son client préféré. La boisson ne dégage ni odeur, ni chaleur. En y trempant vos lèvres, vous ne rencontrez que de l'air. Intrigué, vous retournez la tasse, mais rien n'en sort. Par contre, lorsque vous soufflez dedans, le gaz bleu foncé se répand partout. Le plus étrange, c'est que vos voisins sont fortement incommodés par ces fumerolles insignifiantes. Elles diminuent leur phosphorescence! D'ailleurs, l'un d'eux manifeste clairement son mécontentement.

— Si vous ne savez pas boire correctement, allez festoyer avec les cochons. C'est quand même incroyable, ça! Les jeunes n'ont vraiment plus aucune éducation!...

Vous vous excusez platement et quittez le comptoir avant qu'une bagarre n'éclate.

Si vous ne l'avez pas déjà fait, vous pouvez jouer à « Poursuite dans les brumes » (allez au **92**), ou aborder la jeune femme au **97**. Sinon, sortez au **55**.

68

Vous brandissez la larme de cristal. La pierre s'illumine et dévore complètement la brume multicolore (rayez la larme de cristal de vos possessions). Vos yeux ont le plaisir de découvrir une plaine verdoyante. Au loin, vous voyez une architecture colossale indiquant l'entrée de la ville de Shap.

> Retournez sur la carte au <u>Brouillard Maléfique</u> pour votre dernier déplacement vers Shap (#200). N'oubliez pas de jouer la règle des rencontres aléatoires.

69

Le son des sabots s'atténue et la route se ramollit de plus en plus. Vous vous retrouvez peu après dans un champ de boue profonde. Empêtré dans la vase, votre cheval se refuse à continuer. Découragé, vous comprenez que toute la plaine est submergée.

Vous faites demi-tour, mais une stèle noire comme la nuit surgit de nulle part et bloque le passage. Des inscriptions dorées s'y gravent. Elles font froid dans le dos.

> CI-GÎT LE JEUNE HÉROS.
> CI-GÎT JACK LA GRENOUILLE.
> CI-GÎT LA LIGNÉE DE GARDOLON.

Plus par fatigue que par naïveté, vous vous attendez à voir Jack démolir la pierre. Mais étonnamment, votre compagnon se tient tranquille. Soudain, deux gros yeux félins apparaissent dans la masse sombre. Votre compagnon se réveille enfin.

– C'est quoi ce truc ?!

– On va bientôt le savoir, répondez-vous en mettant pied à terre.

Plongé dans la mélasse jusqu'à la ceinture, vous avancez péniblement. La stèle se recouvre de milliers d'autres yeux d'un jaune maladif. Vous allez devoir combattre cette étrange créature dans des conditions difficiles.

Si vous êtes guerrier, vous perdez 2 points d'habileté ; les autres profils n'en perdent qu'un seul.

STÈLE MAUDITE

Habileté : 5 Points de vie : 35

Heureusement, Jack tient parole et veut régler son compte à la stèle. Profitant de son poids plume, il se joue de la boue et vous aide dans ce combat (ajoutez 1 aux dégâts que vous infligez à chaque assaut).

Si vous êtes victorieux, la masse sombre se ratatine bruyamment en dégageant un gaz jaunâtre nauséabond. Vous êtes pris de vertiges et vous vous évanouissez.

Vous vous réveillez au croisement situé tout près du Poste Frontière ! Deux panneaux en bois moisi indiquent les villages de Mézanté (au nord) et d'Aubannée (à l'ouest).

— C'est dingue ça ! s'exclame Jack. On a tourné en rond ou quoi ?!

— On a peut-être même été nulle part, si ça se trouve, bredouillez-vous la tête bourdonnante.

Vous récupérez votre cheval et repartez vers un village pour y passer la nuit. Enfin, vous l'espérez…

Était-ce un rêve ou la réalité ? Ni vous, ni Jack ne le saurez jamais…

Retournez sur la carte au Poste Frontière pour faire votre prochain déplacement. Vous pouvez aller à Mézanté (#30) ou à Aubannée (#50).

N'oubliez pas de jouer la règle des rencontres aléatoires à chaque fois que vous vous déplacez sur le plan. Lancez le dé. Si vous faites entre 1 et 3, vous ne rencontrez personne. Si vous faites entre 4 et 6, vous rencontrez une créature. En cas de rencontre, relancez le dé et ajoutez 190 au résultat. Rendez-vous alors au paragraphe correspondant pour combattre le monstre. Ensuite, continuez votre route sur la carte.

70

Vous rencontrez enfin de véritables Champs de Céréales. Leur magnifique couleur dorée vous réchauffe le cœur. L'esprit léger, vous avancez au petit trot.

Mais vous déchantez rapidement quand le passage disparaît dans des plants démesurément hauts. Après quelques détours à l'aveuglette, vous êtes complètement perdu. Debout sur votre tête, Jack vous fait part de ses observations :

— Il y a du maïs droit devant et du blé sur la gauche. Qu'est-ce que tu veux manger, maître ?

— Très drôle !

Vers quelle plantation souhaitez-vous avancer ? Le maïs au **27**, ou le blé au **127** ?

71

— Attention, Jack ! criez-vous.

— Hein ? Quoi ?

Une lance vient de passer à deux doigts de votre tête. Vous donnez une claque à votre jument pour la mettre à l'écart et vous vous ruez à couvert. Aux aguets, vous profitez d'une nouvelle salve pour localiser les ennemis.

— Ils sont dans les arbres, maître, chuchote Jack.

— Oui merci, j'ai vu…

Tel un tireur d'élite, vous les mouchez un à un avec une efficacité stupéfiante. Dans la forêt, il pleut maintenant des corps criblés de flèches.

— Bien joué, maître ! Je n'aurais pas fait mieux.

En récupérant vos précieux projectiles, vous examinez les créatures qui en voulaient à votre vie. Elles ressemblent à des humains qui auraient inexplicablement régressé à un stade intermédiaire entre l'homme et le singe.

— Pfff… Sans intérêt, déclare Jack d'un air blasé. Encore des pauvres gens victimes d'une quelconque malédiction. Dans le coin, y'a rien de plus banal.

— Peut-être bien, Jack, mais ne les laissons pas ainsi.

Après avoir recouvert les corps de feuilles et de branchages, vous sifflez votre cheval et repartez sans tarder.

Continuez votre route au **122**.

72

Vous remarquez trois épées plantées dans le corps de la bête. C'est sûrement le monstre responsable de la mort du baron Telfor ! Vengeur, vous vous lancez à l'attaque.

Vous luttez de toutes vos forces, mais rien ne semble pouvoir entamer la fourrure de l'ours maudit. Après un farouche et interminable combat, vous décidez de battre en retraite. Vous avez reçu de sérieuses blessures (vous perdez 5 points de vie). Mais rassurez-vous, il n'y a pas de honte à fuir devant un adversaire imbattable. De plus, vous serez plus utile vivant que mort.

Vous remontez en selle, mais le monstre furieux vous barre la route. Vous rebroussez donc chemin en espérant que la plaine sera moins dangereuse.

Allez au **2**.

73

C'est la première fois que vous voyez un temple comme celui-ci. Entièrement bâti en pierres bleues, il est construit autour d'un bassin – relié à l'océan – duquel émerge un autel translucide en forme de dauphin.

Jack se rue vers le bassin.

– Allons faire le plein de chance, maître !

Pensant qu'une petite prière ne vous ferait pas de mal, vous le suivez. Au moment où vous vous déchaussez, une femme à tête de méduse vous aborde.

– Êtes-vous un aventurier ?

– Nous sommes des aventuriers ! corrige Jack.

– Une grenouille ayant le don de la parole ! s'exclame-t-elle. C'est merveilleux ! Êtes-vous une créature magique ?

– Moui ! répond fièrement la grenouille.

– C'est un bon présage. À cause des démons, je n'ai plus vu de créatures magiques depuis longtemps.

– Je suis là pour m'occuper de ces démons, justement.

– Parfait. Alors, tuez le monstre marin qui nous menace. Depuis qu'il est arrivé, on ne peut plus pêcher. Même nos fidèles amis, les dauphins, ne viennent plus au temple.

– À quoi ressemble ce monstre ? demandez-vous, légèrement inquiet.

– Je n'en sais rien. J'ai entendu autant de versions qu'il y a de marins. Allez au port et cherchez le capitaine Lancaster. Il vous mènera en haute mer pour affronter le monstre. En attendant, je vais prier pour votre réussite.

Elle joint ses mains en signe de bénédiction et vous regarde partir (notez que vous avez reçu la bénédiction de Reinia).

Allez au **85**.

74

Vous faites pourrir quelques brins d'herbe près de son museau. La taupe recule en couinant, puis s'enfuit à toute vitesse en rejetant un mélange de terre et de cailloux qui vous retombe dessus (vous perdez 5 points de vie).

Allez au **5**.

75

Vous récupérez votre cheval et quittez l'auberge. Une maison abandonnée vous sert finalement d'abri pour la nuit (vous regagnez 5 points de vie). Le lendemain, vous vous levez et reprenez la route sans tarder.

Allez au **9**.

76

D'une moue dubitative, vous jetez le fruit qui s'écrase au sol en émettant un bruit écœurant.

— Allons voir ailleurs, déclarez-vous.

Devant votre réaction, Jack cesse d'hésiter et jette aussi son fruit par terre.

Qu'allez-vous faire maintenant ?

Pour explorer les arbustes noirs, allez au **109**. Pour aller voir les arbres plus larges, allez au **119**. Si vous ne l'avez pas déjà fait, vous pouvez aussi vous rapprocher des buissons orangés au **139**. Enfin, si vous préférez quitter cet endroit, retournez sur la carte aux Vergers pour choisir votre prochain déplacement. Vous pouvez aller aux Champs de Céréales (#70) ou passer par la Route des Fées (#90). N'oubliez pas de jouer la règle des rencontres aléatoires.

77

Habituellement, dans une taverne, on ne voit pas grand-chose à cause de la fumée des pipes. Eh bien là, c'est le contraire. Tous ces gens vaporeux rayonnent au milieu d'un intense halo bleuté.

– Pratique pour l'éclairage ! déclare Jack avec son humour lumineux.

En dehors des discussions houleuses et des boissons qui coulent à flot, vous êtes attiré par un tohu-bohu venant d'une longue table. En approchant, vous comprenez qu'on y pratique un jeu appelé « Poursuite dans les brumes ». Jack se montre très intéressé.

Assise à une table, une jeune femme esseulée vous observe.

S'il vous reste au moins 1 pièce de brume, vous pouvez jouer au **92**. Si vous voulez boire un verre au comptoir, allez au **67**. Si vous préférez aborder la jeune femme, allez au **97**.

78

À votre approche, les épouvantails prennent peur et reculent. Paniqués, ils agitent frénétiquement leurs bras terminés par des épis de maïs.

— Je ne vous veux aucun mal, dites-vous d'une voix douce.

L'un d'eux vous répond en chuchotant.

— Les vivants n'ont rien à faire ici ! Partez, sinon vous le regretterez !

Puis il s'éloigne avec ses autres compagnons. Vous restez dubitatif devant cet avertissement plutôt sommaire.

Si vous suivez son conseil, partez au **38**. Sinon, vous pouvez examiner l'estrade au **98**, ou jeter un œil aux ouvrages de paille au **118**.

79

Vous examinez attentivement le seul objet de ce village qui ne soit pas en paille. Mais la charrette est complètement vide.

Si vous avez rencontré Chloé, allez au **132**. Sinon, allez au **114**.

80

Chemin faisant, Jack profite de son encyclopédie pour faire la leçon sur la géographie locale.

— La Forêt des Nymphes abrite un bosquet de cristal où naissent ces êtres merveilleux. Les arbres au feuillage bleu-vert forment un rempart magique contre les intrus. Personne ne peut pénétrer leur territoire sans permission.

— De toute façon, elle est de l'autre côté de la rivière leur forêt magique, remarquez-vous.

Au détour d'une colline, vous découvrez des vergers s'étalant le long d'une nouvelle vallée. Vous identifiez quatre cultures différentes. Deux d'entre elles sont particulièrement étranges. L'une est constituée de petits arbustes noirs et racornis. L'autre est composée d'arbres plus larges que hauts aux ramifications abondantes. Plus loin, des feuillus plantés en quinconce semblent plus accueillants ; tout comme des rangées de buissons aux couleurs automnales.

Pour explorer les arbustes noirs, allez au **109**. Pour aller voir les arbres plus larges, allez au **119**. Pour vous rapprocher des feuillus bleu-vert, allez au **129**. Pour vous diriger vers les buissons orangés, allez au **139**.

81

— Attention, maître !

D'un geste réflexe, vous esquivez de justesse une lance tirée des branchages. Des espèces de singes surexcités à la peau brune poussent des cris aigus.

— C'est dingue, ça ! Y'a pas de singes normalement dans cette région, protestez-vous en donnant une claque à votre jument pour l'écarter du danger.

— Maintenant, y'en a ! répond Jack.

Tandis que jaillit une nouvelle salve de lances meurtrières, vous répliquez par un déluge de flèches de lumière. Tentez votre chance. Chanceux, les lances se plantent à vos pieds. Malchanceux, l'une d'elles vous entaille la jambe (vous perdez 3 points de vie).

Aveuglés et paniqués par la fulgurance de votre magnifique contre-attaque, les créatures prennent la poudre d'escampette.

— C'est ça, fuyez, bande de lâches ! Et heureusement que ce n'est pas moi qui aie utilisé mes pouvoirs. Sinon, il n'y aurait même plus de forêt ! Hahaha ! raille Jack.

— Plus de forêt ? Tu n'exagères pas un peu, Jack ?

— Euh… Je te montrerai une autre fois. Allez, on y va ! fait-il en partant d'un pas décidé.

Vous haussez les épaules devant tant de vantardise. Après avoir récupéré votre cheval, vous reprenez la route.

Allez au **122**.

82

Immobile au milieu du cercle, vous décidez d'emprunter un des deux passages qui s'offrent à vous. Quelle direction choisissez-vous ?

À gauche au **103**, ou tout droit au **113** ?

83

Il vous donne la clé de la première chambre. Vous vous y installez sans tarder. C'est vrai que le lit est confortable et vous sombrez immédiatement dans un sommeil profond ; si profond que vous dormez bien au-delà de la matinée. Finalement, vous passez la journée complète au pays des rêves (vous récupérez tous vos points de vie).

Lorsque vous vous réveillez, vous constatez avec effroi que vous n'êtes plus dans votre lit, mais enfermé dans une boite. Vous hurlez de terreur et frappez hargneusement les parois. Soudain, le couvercle cède. Vous vous relevez en inspirant profondément l'air frais. Il fait nuit et vous êtes dans un cimetière. Sur la pierre tombale qui vous surplombe, l'épitaphe est on ne peut plus explicite.

Ci-gît un héros fatigué

— Maître, t'es brillant ! glapit Jack.

— Merci pour le compliment, Jack. Mais…

En apercevant votre main et votre compagnon, vous comprenez que vous êtes maintenant devenus des fantômes de Mézanté ! Partout, des morts phosphorescents sortent de leur tombe et se dirigent vers le village illuminé pour une nouvelle nuit de vie. Une jeune femme vous accoste.

— Bonne nuitée ! Vous êtes nouveau ?

— Euh, oui… répondez-vous, ahuri.

— Je m'appelle Ciglace, dit-elle d'une douce voix. Venez, je vous accompagne jusqu'au village…

Vous êtes maudit et votre âme errera éternellement dans le village de Mézanté. Votre aventure se termine ici.

84

Vous chargez et lui entaillez le museau. La taupe riposte violemment avec ses grosses griffes, tout en poussant un cri strident. Vous êtes propulsé à plusieurs mètres (vous perdez 2 points de vie).

La créature souterraine creuse frénétiquement une nouvelle galerie, rejetant un mélange de terre et de cailloux dont une partie vous retombe dessus (vous perdez 1 point de vie supplémentaire).

Allez au **5**.

85

La malédiction régnant à Port Lichel est terrible. L'aspect dénaturé des habitants fait vraiment pitié. Qu'ils tendent vers le mollusque ou vers le crustacé, ils prennent tous leur mutation comme une injustice humiliante. Où souhaitez-vous aller ?

À la taverne (allez au **13**), à l'auberge (allez au **23**), à la boutique (allez au **63**), au temple de Reinia (allez au **73**), au port (allez au **93**).

Quand vous aurez fini de visiter le village, retournez sur la carte à Port Lichel pour faire votre prochain déplacement.

Vous ne pouvez aller qu'au Brouillard Maléfique (#130). N'oubliez pas de jouer la règle des rencontres aléatoires.

86

Vous retombez sur vos jambes sans vous blesser. Vous vous relevez rapidement pour faire face au danger.

Allez au **72** pour vous défendre.

87

Faisant volte-face, vous découvrez un personnage des plus étonnants. Une immense tête de citrouille orange vif aux yeux triangulaires repose sur un amoncellement de céréales tressées. Cette étrangeté possède des épis de maïs en guise de doigts. Il se dégage de ce monstre végétal une aura maléfique. Prudent, vous optez pour la diplomatie.

– Excusez-nous de vous avoir dérangé, mais nous nous sommes perdus. Pourriez-vous nous indiquer la sortie, s'il vous plaît ?

– Hac hac hac !

Son rire claquetant vous casse les oreilles. Sa sentence est sans appel.

– Ici, c'est le monde des inertes. Nul n'en sort et les vivants qui ont le malheur d'y passer subissent ma malédiction !

Sur ces paroles, il vous bombarde de grains de maïs (vous perdez 3 points de vie). L'affrontement est inévitable.

Pour ce combat, des bonus cumulatifs vous sont accordés si vous avez les conditions requises :

- Bénédiction de Rogor (rayez-la de votre feuille de personnage si vous l'utilisez) : +2 points d'habileté.
- Si vous êtes magicien : +2 points d'habileté.
- Si vous êtes druide ou guerrier : +1 point d'habileté.
- Si vous n'êtes pas en paille : +1 point d'habileté.

MÂNES-QEIN

ROI DES ÉPOUVANTAILS

Habileté : 7 Points de vie : 50

- Si vous combattez avec une fourche : +1 point de dégâts à chaque assaut.
- Si Jack est en paille, il participe farouchement au combat : +1 point d'habileté et +1 point de dégâts à chaque assaut.

Si vous êtes vainqueur, le géant pourrit à toute vitesse. Maisons et habitants subissent le même sort. En quelques minutes, le terrible pouvoir magique du roi des épouvantails disparaît à tout jamais.

Si Jack, vous, ou votre cheval aviez subi une transformation, vous retrouvez instantanément votre forme initiale.

Grâce à cette victoire, le monstre aléatoire « épouvantail espiègle » n'existe plus (notez également que vous avez levé la malédiction des épouvantails). Si le dé désigne ce monstre lors d'une future rencontre aléatoire, considérez qu'il n'y a pas de combat.

Retournez sur la carte aux Champs de Céréales pour choisir votre prochain déplacement. Vous pouvez aller aux Monts Lockern (#100) ou à Belitranne (#120). N'oubliez pas de jouer la règle des rencontres aléatoires.

88

Vous mettez pied à terre et marchez vers l'entrée. À l'intérieur, c'est le grand bazar. La charpente est à deux doigts de s'écrouler. Partout, poutres et gravas s'entremêlent au milieu de la poussière.

— Jack, attends ici, s'il te plaît.

— Hors de question ! Tu vas rater les objets magiques. Je suis certain que le cimeterre maudit est ici. Garde donc le cheval. Moi, je m'occupe du reste…

Sans attendre votre réponse, Jack bondit dans le bâtiment branlant.

— Fais attention, Jack !

— Y'a aucun risque ! Occupe-toi du cheval…

Cette grenouille est vraiment incorrigible... Vous vous frayez un passage au milieu des décombres, escaladant des poutres à demi calcinées. Soudain, tout s'écroule ! Un éboulement vous menace. Allez-vous y survivre ?

Tentez votre chance. Si vous êtes chanceux, allez au **26**. Sinon, constatez les dégâts au **104**.

89

Lorsque vous atteignez les limites du village, vous déchantez. Les plants de céréales sont tellement serrés qu'il est impossible de passer. Vous cherchez néanmoins une trouée. Malheureusement, votre inspection est rapidement interrompue.

Lancez un dé. Si le résultat est pair, combattez une orge étrangleuse au **191**. S'il est impair, c'est un épouvantail maudit qui vous agresse au **192**.

Après avoir fait le tour, vous devez vous rendre à l'évidence : vos espoirs de fuite sont de paille ! Vous êtes bel et bien bloqué ici !

Retournez au **4**.

90

La route longe l'impénétrable Forêt des Nymphes. À droite, buissons épineux, ronces et autres lierres enchevêtrés pullulent entre des arbres trapus. Leurs branches courbent sous le poids des innombrables feuilles vert pâle.

À gauche, c'est exactement le contraire : une terre craquelée, parsemée de rares brins d'herbes jaunis.

Plus loin, le sol est jonché d'armes et d'armures rouillées. Vous pensez immédiatement à un champ de bataille, mais il n'y a nulle trace de cadavres. Juste des milliers d'objets en ferraille.

– Un forgeron a vidé son stock ou quoi ? se demande Jack, les yeux écarquillés.

Pour examiner les lieux de plus près, allez au **31**. Sinon, continuez votre route au **133**.

91

— Attention, maître !

D'un geste réflexe, vous esquivez de justesse une lance tirée des branchages. Des espèces de singes surexcités à la peau brune poussent des cris aigus.

— C'est dingue, ça ! Y'a pas de singes normalement dans cette région, protestez-vous en donnant une claque à votre jument pour l'écarter du danger.

— Maintenant, y'en a ! répond Jack.

Tandis que jaillit une nouvelle salve de lances meurtrières, vous répliquez en utilisant vos pouvoirs psychiques.

Tentez votre chance. Chanceux, les lances se plantent à vos pieds. Malchanceux, l'une d'elles vous blesse (vous perdez 3 points de vie).

La plupart des créatures fuient avec un phénoménal mal de crâne. Mais certaines

SINGES MAUDITS

Habileté : 4 Points de vie : 15

résistent et sautent des arbres pour attaquer.

Si vous êtes vainqueur, vous récupérez votre cheval et continuez votre route. Allez au **122**.

92

« Poursuite dans les brumes » se joue avec deux dés. Le but du jeu est de retrouver le maître des brumes en comparant des jets de dés. Mais attention, chaque tour de jeu coûte 1 pièce de brume. N'oubliez pas que vous payez et gagnez uniquement des pièces de brume à ce jeu (et non des pièces normales). Si vous jouez la partie, lancez un dé pour le maître des brumes et notez son résultat (ce chiffre est valable pour toute la partie).

A. Payez 1 pièce de brume pour ce tour.

B. Lancez deux dés :
   - S'ils ne contiennent pas le chiffre du maître des brumes, vous avez perdu (allez au C).

- Si un seul de vos dés affiche le même chiffre que celui du maître des brumes, vous l'apercevez et gagnez 3 pièces de brume (allez au C).
- Enfin, si vous faites un double du même chiffre que celui du maître des brumes, vous l'avez attrapé et gagnez 6 pièces de brume (allez au D).

C. Vous pouvez faire un autre tour de jeu, s'il vous reste au moins 1 pièce de brume (allez au A). Sinon, le jeu s'arrête par forfait et vous quittez la table sous les quolibets.

D. Le maître des brumes est capturé, vous gagnez la partie. Vous devez immédiatement laisser la place à un autre joueur, sous les ovations de spectateurs heureux d'avoir vu le premier vainqueur de la nuit.

Si vous ne l'avez pas déjà fait, vous pouvez boire un verre au comptoir en allant au **67**, ou aborder la jeune femme en allant au **97**. Sinon, sortez au **55**.

93

Le port est à l'abandon ; ce qui en dit long sur la situation dans la région. Devant les bateaux amarrés à quai, deux marins discutent en fumant la pipe. L'un d'eux a une tête de poulpe, tandis que l'autre possède des pinces de crabe à la place des mains.

– On pourrait aller à Shap en bateau ? propose Jack.

– C'est pas une mauvaise idée, ça.

Vous vous approchez des matelots et leur demandez s'il est possible de rallier la cité.

– Impossible, répond l'homme-poulpe. Un monstre marin attaque tous les bateaux et un brouillard maléfique entoure la cité.

Si vous avez reçu la bénédiction de Reinia, allez au **32**, sinon, allez au **62**.

94

Vous lancez un sort de gel sur le museau de l'animal pour bloquer son sens de l'odorat.

Ne détectant rien d'appétissant, la taupe se remet à creuser tranquillement une nouvelle galerie et disparaît sous terre.

Allez au **5**.

95

À peine allongé, le sommeil ne tarde pas. Le lendemain matin, vous vous réveillez en pleine forme (vous regagnez 5 points de vie). Après un petit déjeuner copieux que vous cuisinez vous-même, vous prenez congé de votre hôte. Ebert vous fait un émouvant signe d'adieu pendant que vous vous éloignez.

Allez au **9**.

96

La prestation de Jack est insuffisante. Les enfants vous raillent en huant.

— Il a perdu ! Il a perdu !...

Puis, ils changent de refrain.

— Un gage ! Un gage ! Un gage !...

Le mauvais garçon lève la main. Ses camarades se taisent instantanément.

— Tu vas faire trois fois le tour du village à cloche pied ! Na !

Ils vous emmènent au bord des champs et vous obligent à exécuter la puérile sentence. Jack bondit à vos côtés pour vous encourager.

— Allez, maître ! Vous y êtes presque. Plus que quelques centaines de bonds !

Mais entre la chaleur et le poids conséquent de votre équipement, vous souffrez le martyre (vous perdez 1 point de vie).

À l'arrivée, vous constatez la disparition des enfants. Ont-ils seulement pris la peine d'assister à votre manège sautillant ?

Allez au **4**.

97

Vous vous approchez de la demoiselle qui vous regarde avec intérêt.

— Bonsoir. Je suis de passage. C'est peut-être pour cela que vous m'avez remarqué ? dites-vous avec un sourire poli.

— Difficile de ne pas vous remarquer… Vous êtes opaque !

— Je suis arrivé hier soir et j'ai été réveillé par l'activité nocturne.

— Vous feriez mieux de partir. Cet endroit est maudit. Ceux qui restent ici plus d'une journée complète finissent comme nous.

Son explication efface instantanément votre sourire.

— C'est ce qui s'est passé pour vous ?

— Oui. Je suis arrivée très tard en soirée et j'ai pris une chambre à l'auberge. J'ai dormi toute la journée. Quand je me suis réveillée, j'étais au cimetière, avec les autres.

Une larme perle sur sa joue.

— Partez ! Sinon, vous serez maudit !

Vous êtes désolé pour elle, mais vous ne pouvez malheureusement rien faire. Lorsque vous la quittez, elle plonge son regard attristé dans sa tasse de thé vaporeux.

Si vous ne l'avez pas déjà fait, vous pouvez jouer à « Poursuite dans les brumes » (allez au **92**), ou boire un verre au comptoir au **67**. Sinon, sortez au **55**.

98

Quand vous vous approchez de l'estrade, les épouvantails s'enfuient aussitôt.

– C'est un comble ! Ce sont eux qui sont censés nous faire peur, non ? remarque Jack.

Vous ne relevez pas son intervention et portez votre attention sur la construction. Le plancher est fait de feuilles de maïs tressées. Il est supporté par des tiges épaisses comme des troncs d'arbre. Près du coin une fourche est plantée dans le sol (vous pouvez l'inscrire sur votre fiche de personnage, mais seul un guerrier peut l'utiliser en combat). Le trône est quant à lui un assemblage de grains de maïs rehaussé d'épis de blé en guise d'accoudoirs. Soudain une voix tonne derrière vous, annonçant probablement l'arrivée du maître des lieux.

— Que se passe-t-il, ici ?

Allez au 87.

99

L'auberge est déserte. Seul un gros bonhomme — dont la silhouette est bien plus lumineuse que son esprit — se tient derrière un comptoir bleuté. Ne daignant même pas répondre à votre salut, il vous questionne.

— Il veut une chambre pour la nuit, le visiteur ?

— C'est combien ? demande Jack.

— C'est gratuit ! répond l'aubergiste.

— Super ! On va pouvoir finir la nuit dans un bon lit douillet !

— Et pourquoi donc est-ce gratuit ? lui demandez-vous suspicieux.

— Parce que ce village ne vit que la nuit. Mon commerce n'a plus de sens. La nuit remplace le jour, mais nous n'avons rien d'autre à faire que vaquer à nos occupations habituelles. Telle est la malédiction de Mézanté. Bon, vous restez, ou pas ?

Si vous voulez finir la nuit à l'auberge, allez au **83**. Sinon, sortez au **55**.

100

Le massif se dressant devant vous est formé de deux grandes montagnes accolées de couleurs opposées. Interloqué par cette curiosité de la nature, vous vous tournez vers Jack. Il se fait évidemment un plaisir de consulter son encyclopédie.

— Les monts jumeaux de Lockern sont les vestiges d'une bataille entre Solaris et Lunaris pour la possession du monde. Lors de ce duel qui dura une éternité, les dieux furent interrompus par Dame Nature. Elle voulait sauver le monde des hommes. Les deux rivaux se rangèrent à l'avis de Dame Nature et repartirent dans le monde des dieux. Il ne resta que deux gouttes de sang qui devinrent deux gigantesques blocs de roche : un en marbre (pour le dieu de la lumière) et un en obsidienne (pour le dieu de l'ombre). Ces lieux sont aujourd'hui inhabités, mais il est toujours possible de rendre hommage aux divinités lors d'un pèlerinage.

Lorsque le récit de votre compagnon se termine, vous êtes justement devant le croisement. La route de gauche va vers la montagne de marbre de Solaris. L'autre grimpe la pente d'obsidienne de Lunaris.

Si vous prenez à gauche, allez au **124**. Si vous prenez à droite, allez au **65**.

101

– Attention, maître !

D'un geste réflexe, vous esquivez de justesse une lance tirée des branchages. Vous remontez en selle et foncez au galop. Mais un piège de corde vous stoppe net. Violemment éjecté, vous atterrissez durement dans un buisson d'épineux (vous perdez 4 points de vie).

Des espèces de singes surexcités à la peau brune poussent des cris aigus.

– C'est dingue, ça ! Y'a pas de singes normalement dans cette région, protestez-vous en vous relevant.

– Maintenant, y'en a ! répond Jack.

Vous n'avez pas le temps de rejoindre votre cheval. Une nouvelle volée de lances se plante tout près. Énervé de ne pouvoir atteindre ces bestioles perchées dans les arbres, vous vous ruez à couvert. Mais ils continuent de vous harceler avec leurs projectiles mal taillés.

Effectuez trois tests de dextérité (ND 7) successifs. Pour chaque test raté, vous recevez une blessure légère (vous perdez 2 points de vie).

Ayant épuisé toutes leurs lances, les créatures finissent enfin par descendre pour vous attaquer. Vous rugissez de plaisir devant un combat qui s'annonce enfin en votre faveur.

Si vous êtes vainqueur, vous récupérez votre cheval et reprenez la route. Allez au **122**.

SINGES MAUDITS
Habileté : 4
Points de vie : 30

102

La route mène à un plateau rocailleux. Le sol orangé, dépourvu de végétation, renvoie la chaleur du soleil. Un puissant vent tourbillonnant vous fouette le visage et soulève d'innombrables volutes de sable.

Vous mettez pied à terre pour ne pas être renversé. Lorsque la tornade se calme enfin, un inquiétant assemblage de sable et de roche se dirige droit sur vous! Malgré sa lenteur, ses coups sont redoutables (ajoutez 1 à toutes les blessures que vous recevrez lors de ce combat, sauf si vous êtes guerrier).

Lorsque vous aurez démoli ce monstre minéral, continuez votre route au **5**.

103

Le chemin se rétrécit et les plants deviennent aussi épais que des troncs d'arbres. Les monstrueux épis culminent à plus de

GOLEM DE GRÈS

Habileté : 4 Points de vie : 35

20 mètres. Vous êtes maintenant dans une véritable forêt dorée !

— Je n'aimerais pas qu'un de ces grains de maïs me tombe sur la tête... commente Jack.

Soudain, vous entendez des rires claquant comme des fouets. Vous constatez alors que vous êtes dans un cul-de-sac.

— Maître ! Au secours !...

Vous regardez Jack et restez bouche bée. Quelle horreur ! Votre petit compagnon est en train de se transformer en paille !

— Maître ! Toi aussi !

Vous laissez échapper un cri de terreur en voyant vos mains, vos bras et vos jambes se métamorphoser de la même manière. Le sort de votre cheval n'est pas plus enviable : il se change aussi en paille ! Sans réfléchir, vous faites demi-tour pour échapper à ce sortilège démoniaque. Lorsque vous sortez du champ, vous êtes tous devenus des épouvantails !

— Il faut retrouver ceux qui ont fait ça ! s'énerve votre compagnon.

Notez que Jack, votre cheval et vous êtes maintenant en paille, puis allez au **3**.

104

Une large planche vous projette violemment au sol (vous perdez 3 points de vie). Dans un vacarme assourdissant, pans de murs et poutres s'entassent, manquant de vous écraser. Poussé par un inébranlable instinct de survie, vous rampez parmi les gravas jusqu'à l'arrière du bâtiment. Devant vous, un ravin de terre nue descend jusqu'à la Nirh.

Trop occupé à observer les alentours, vous ne remarquez pas des tiges brunes qui s'enroulent sournoisement autour de vos jambes. Paniqué, vous tirez de toutes vos forces. Mais la créature végétale est bien plus résistante que vous ne le pensiez. Combattez-la !

Si vous êtes victorieux, vous concluez qu'il n'y a rien à tirer de ce lieu désolé. Vous contournez les ruines en vous demandant ce que Jack a bien pu trouver de son côté.

Vous le saurez au **48**.

ORGE ÉTRANGLEUSE

Habileté : 2 Points de vie : 10

105

— Ciglace ! Souvenez-vous de Ciglace ! répétez-vous obstinément.

Le soldat se fige un instant, puis s'affale par terre en prenant sa tête à deux mains.

— Ciglace, mon amour... Où es-tu, ma douce ? sanglote-t-il.

Lorsque vous l'aidez à se relever, il vous observe longuement, hagard.

— Qui êtes-vous ?

— Nous venons pour sauver la baronnie ! s'empresse de répondre Jack en s'interposant.

Écartant fermement la grenouille du bras, vous exposez la situation à votre façon et révélez au soldat votre destination : Shap.

— J'ai trouvé cet anneau au Poste Frontière Sud. Il porte votre nom et celui de votre fiancée. Heureusement que vous vous êtes présenté, sinon nous nous combattrions en ce moment.

— Oui, c'est exact. Ma femme et moi avons été maudits.

Ses yeux brillants implorent assistance.

— Si vous me rendez mon alliance, je pourrais briser notre malédiction !

— Alors, allez la rejoindre, dites-vous en lui tendant le bijou (rayez l'objet de vos possessions).

— Merci infiniment. Partez tout de suite. Sinon vous serez maudit comme tous ceux qui restent trop longtemps ici. Prenez cette barge. Elle vous mènera près de la chaîne des monts de la Lune. De là, vous n'aurez qu'à suivre la route vers l'ouest jusqu'à Shap. Par contre, faites très attention. Un brouillard maléfique entoure la ville.

— Merci beaucoup, c'est un magnifique raccourci que vous nous offrez là !

— Un brouillard ? Ça ne vaut pas un démon ! On n'en fera qu'une bouchée, foi de Jack !

Vous installez votre jument sur l'embarcation, puis détachez l'amarre. De la rive, Médard vous fait de grands signes d'adieu, puis court rejoindre sa dulcinée.

Grâce à cette bonne action (notez que vous avez levé la malédiction de Ciglace), le monstre aléatoire « fille maudite » n'existe plus. Si le dé désigne cette créature lors d'une future rencontre aléatoire, considérez qu'il n'y a pas de combat.

Voguez au **134**.

106

Des milliers de larves gluantes sortent pour vous dévorer. Vous leur échappez en lançant votre cheval au galop.

Après cette mésaventure, continuez votre voyage au **11**.

107

– Ce n'est pas juste, proteste Jack.

– Si tu ne joues pas, tu ne pourras pas gagner ! rétorque le garçon. Et puis, tu es le meilleur, non ? finit-il avec arrogance.

Voici une représentation de la cible.

	DÉ 1	1	2	3	4	5	6
DÉ 2							
1		1	1	3	3	1	1
2		1	5	7	7	5	1
3		3	7	10	10	7	3
4		3	7	10	10	7	3
5		1	5	7	7	5	1
6		1	1	3	3	1	1

C'est le garnement qui commence avec ses quatre tirs. Ensuite, ce sera au tour de Jack avec son unique essai. Pour compter les points, lancez deux dés pour chaque tir. Le premier dé désignera la ligne et le deuxième, la colonne où la fléchette se plante. Vous marquez le nombre de points indiqués sur la case touchée. Celui qui totalise le plus de points gagne la partie.

Si Jack gagne, il bondit dans tous les sens, sous le coup d'une joie intense (allez au **14**). S'il perd, allez au **96**. En cas de match nul, les enfants vous jettent dehors au **4**.

108

Vous errez sans fin dans la brume. Perdu au milieu de cette immensité multicolore, vous sombrez dans la résignation.

– Il n'y a rien à faire, ce brouillard est infranchissable ! pestez-vous.

À bout de patience, Jack fait tournoyer sa petite épée pour tenter de fendre l'obstacle vaporeux.

– Prend ça, satané brouillard ! Je te passerai au travers, que tu le veuilles ou pas !

Suivant les mouvements désordonnés de Jack, les volutes de gaz coloré s'intensifient jusqu'à devenir un mur. Des tourbillons forment des yeux écarlates et une sorte de bouche vaporeuse. C'est un

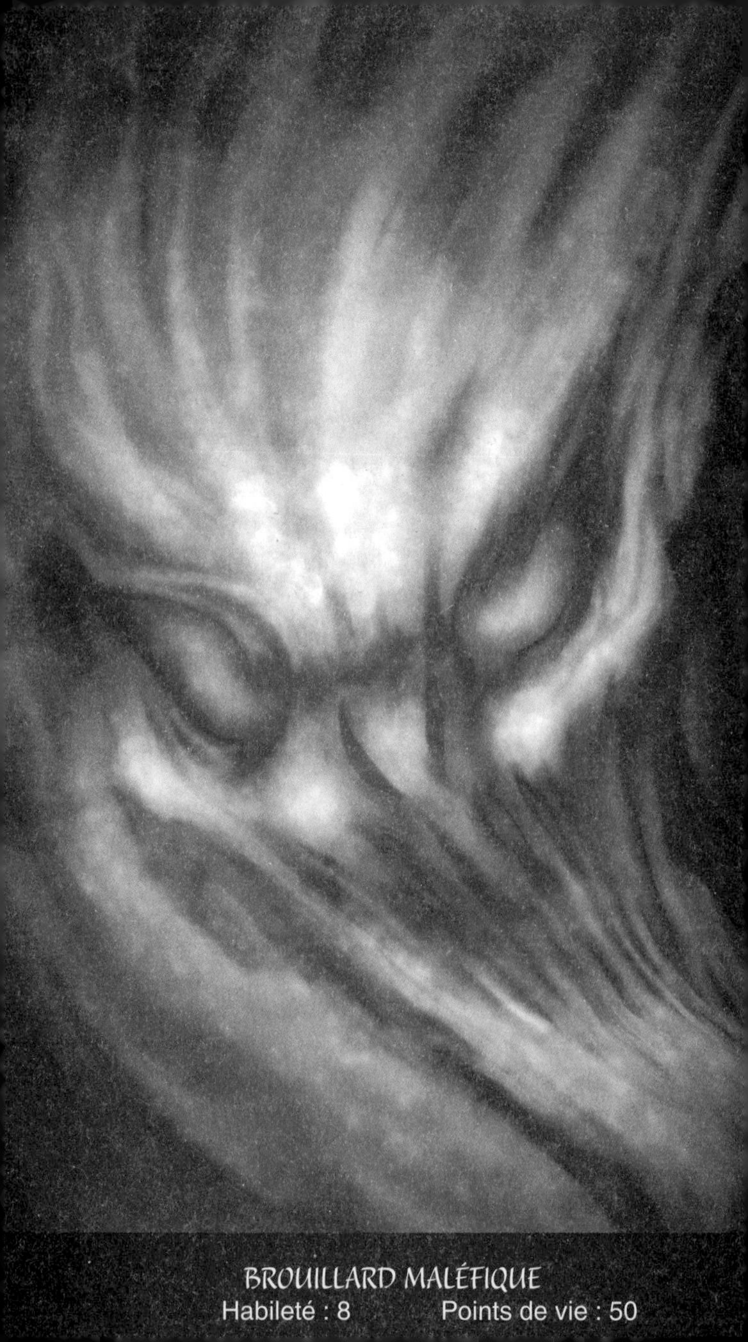

BROUILLARD MALÉFIQUE

Habileté : 8 Points de vie : 50

véritable visage démoniaque qui apparaît devant vous !

– Personne ne me traversera !

Jack a-t-il réussi à vexer cette abomination ? Quoi qu'il en soit, vous devez maintenant la combattre.

Si vous êtes vainqueur, allez au **51**.

109

Vous grimpez la colline jusqu'aux arbres aplatis. Stupéfait, vous comprenez qu'il ne s'agit pas de branches mais de racines !

– Mais ils sont fous dans ce pays ! Ils plantent les arbres à l'envers ! commente Jack.

Vous longez une rangée ressemblant à une haie géante de buissons entremêlés. Soudain, le sol s'agite de remous ; comme si une armée de taupes se dirigeait vers vous. Des dizaines de fruits jaillissent de toutes parts : des pommes, des poires et même des cerises bondissent dans votre direction en piaillant comme des poussins surexcités. Vous déguerpissez en poussant votre monture au galop.

– C'est le monde à l'envers ! On va se faire becqueter par des fruits ! hurle Jack en voyant surgir une nouvelle salve de fruits carnivores. Je vais leur arracher les pépins !

Effectuez 5 tests de dextérité successifs (ND 5). Chaque test raté vous fera perdre 2 points de vie. Lorsque vous aurez fini, vous serez hors d'atteinte de ces étranges créatures végétales. Ne désirant pas découvrir d'autres dangereuses bizarreries, vous cessez votre exploration des lieux.

Retournez sur la carte aux Vergers pour choisir votre prochain déplacement. Vous pouvez aller aux Champs de Céréales (#70) ou passer par la Route des Fées (#90). N'oubliez pas de jouer la règle des rencontres aléatoires.

110

Vous franchissez une dernière colline et découvrez enfin l'océan. L'air marin s'engouffre dans vos poumons. La plage, long ruban aux reflets dorés, vous attend.

— J'espère qu'elle est bonne! se réjouit Jack.

Après une pause sur l'étendue de sable fin, vous vous dirigez vers le village portuaire. C'est un endroit tranquille, bercé par les vagues et nourri par la mer. Près des quais, vous rencontrez un homme-homard. Coiffé d'une vieille casquette bleue marine, il fume tranquillement la pipe. L'hybride observe un bateau se dandinant au gré de la houle.

— Bonjour, lancez-vous pour engager la conversation.

La créature vous adresse un regard blasé.

— B'jour, bougonne-t-il.

Plongé dans son encyclopédie, Jack signale qu'un temple de Reinia — déesse de l'eau et de la chance, protectrice des ports — se trouve non loin. Il ajoute ensuite à l'attention du vieux crustacé.

— Où est ce temple, brave homme... ard?

L'individu paraît désespéré. Non pas par les jeux de mots pathétiques de Jack, mais par sa propre situation.

— Au nord du village. Mais la déesse ne s'est plus manifestée depuis que ce satané démon a maudit le village. En plus, un horrible monstre marin nous empêche d'aller pêcher en haute mer. Les dieux nous ont abandonnés…

— Allons, ne vous inquiétez pas, nous sommes venus pour détruire ce démon et ses malédictions !

Le vieil homme fait la moue.

— Ça, j'y croirai quand j'le verrai. Laissez-moi maintenant…

Puis, il porte à nouveau son attention sur le bateau navigant au loin. Vous poursuivez votre chemin, le laissant à ses rêveries et à son désespoir. Allez au **85**.

111

Vous laissez ces pauvres gens à leurs occupations nocturnes et retournez à l'écurie. En chemin, vous croisez des cavaliers fantômes venant de confier leurs montures au soin de la palefrenière. Lorsque vous entrez, la jeune femme se tourne vers vous.

— Vous venez récupérer votre jument ?

— En fait, je pensais finir la nuit ici avant de repartir, précisez-vous.

Un vieil homme fait irruption dans la pièce.

— Ciglace, ma chérie, t'as pas vu mon poney ?

— Non, grand-père. Peut-être est-il dans le pré ? répond-elle, hésitante.

Le bonhomme repart en bougonnant.

Si vous possédez une alliance en or, allez au **61**. Sinon, allez au **123**.

112

— Écoutez, j'aimerais bien vous aider, mais je dois aller à Shap. Et j'aurais sûrement besoin de me soigner dans cette région dangereuse. Vous comprenez ?

Les paysans regardent le sol, quelque peu honteux de vous démunir d'objets si précieux.

— Je vais juste m'occuper de ces jeunes demoiselles, finissez-vous par déclarer.

Vous descendez de cheval et avancez vers les pauvres gamines. Leur mère est toute heureuse d'avoir été choisie.

— Mille mercis, Seigneur !

Si vous êtes druide, vous pouvez utiliser votre talent « soins » sur les deux fillettes en même temps (cochez la case de ce talent). Sinon, vous devez utiliser un antidote par fillette (rayez ces 2 objets de votre liste).

Les enfants arrêtent de pleurer et vous serrent chaleureusement dans leurs bras.

— Puissiez-vous recevoir la bénédiction de Dame Nature, déclare leur mère avec joie.

— Je... Je vous en prie, c'est... C'est normal, bafouillez-vous, fort gêné.

— Et moi ? Tu vas faire quelque chose pour mon dos ? gémit le vieillard, excité par vos prouesses médicales.

Mais ses compagnons prennent votre défense.

— Tais-toi, Pépé ! Ça fait 20 ans que t'as mal au dos. Tu devrais avoir l'habitude !

Vous remontez en selle. Les paysans vous remercient par des hourras et des cris de joie.

— On est les plus forts ! On ne fera qu'une bouchée de ces satanés démons ! proclame Jack, tel un roi à ses sujets.

Vous vous élancez au galop pour rattraper le temps perdu. Continuez votre course au **2**.

113

Le large passage fait une légère courbe à gauche. Vous entendez tout à coup d'étranges rires aux sonorités de crécelles.

— Aargh ! hurle Jack.

Sous vos yeux exorbités, les membres de votre compagnon se transforment en paille ! Paniqué, vous accélérez pour échapper à l'étrange phénomène. À peine sorti du champ, vous stoppez pour souffler un peu.

— Regarde ! Toi aussi, maître !

Jack a raison. Vous avez aussi été changé en paille !

— Il faut retrouver ceux qui ont fait ça ! s'énerve votre compagnon.

Notez que Jack et vous êtes maintenant en paille, puis allez au **3**.

114

Jack approfondit cependant la fouille avec assiduité.

— Regarde, maître ! J'ai trouvé quelque chose ! s'écrie-t-il en brandissant un petit sac de lin.

Son contenu est surprenant. Il s'agit de trois fléchettes !

— Peut-être qu'elles sont magiques, dites-vous en tendant le bras.

Jack serre le sac contre sa poitrine :

— Teu, teu, teu. C'est à moi ! De toute façon, tu n'aimes pas les jeux ! vous nargue-t-il.

Indiquez dans votre feuille de personnage que Jack possède maintenant un petit sac de lin.

Allez au **4**.

115

Ebert (vous apprenez enfin son nom, ou plutôt un de ses innombrables noms) vous explique le jeu des devinettes. Il s'agit de reconnaître le métier du personnage qui parle. Les mises sont de 1 pièce d'argent. Il n'y aura que 10 tours de jeu, car il faudra vous coucher pour être en forme demain. Voici la marche à suivre :

- Payez 1 pièce d'argent pour répondre à une devinette.
- Choisissez un chiffre entre 1 et 6.
- Lancez le dé.
- Si le chiffre obtenu est celui que vous aviez choisi, vous avez trouvé le métier et gagnez 5 pièces d'argent. S'il est différent, vous avez perdu.
- Recommencez depuis le début si vous voulez faire une autre devinette (n'oubliez pas que vous êtes limité à 10 parties maximum).

Lorsque vous avez fini de jouer, vous vous excusez poliment.

— Je suis désolé, mais je reprends la route de bonne heure. La région est dangereuse et je dois être à Shap demain.

— Vous ferez bien un tour par notre boutique ?

— Ah oui, c'est une riche idée, ça, dit Jack en vous lançant un coup d'œil entendu.

Si vous voulez voir ce qu'il a à vous proposer, allez au **135**. Sinon, allez vous coucher au **95**.

116

Une armée de fourmis rouges se rue sur vous en projetant des jets d'acide (vous perdez 1 point de vie).

Après cette mésaventure, continuez votre voyage au **11**.

117

Une douce voix résonne dans votre tête.

— Ta véritable nature nous a été révélée. Ta cause est juste et nous croyons en toi. Nous pouvons t'aider à combattre le démon qui a maudit la plaine de Shap.

— Comptez sur moi pour éliminer ce monstre, répondez-vous avec conviction.

— Accepte ce présent. C'est une larme de cristal. Elle affaiblit les pouvoirs démoniaques.

Une goutte lumineuse se cristallise dans votre main (notez la larme de cristal sur votre fiche de personnage). Les feuillages se mettent subitement à briller de mille feux, vous obligeant à fermer les yeux. Lorsque vous les rouvrez, vous êtes à la lisière de la forêt.

— Ça y est, on a retrouvé le plancher des vaches, déclare Jack en se frottant les yeux.

Vous le regardez avec amusement. Il a dormi pendant l'intégralité de cet étonnant entretien et ne s'est rendu compte de rien.

— Bien dormi, Jack?

— Oui, merci. Mais il m'a quand même semblé t'entendre parler tout seul. La prochaine fois, respecte mon sommeil, s'il te plaît.

— Je suis désolé.

— Ce n'est pas grave. C'est aussi à cause de mon instinct de chevalier. Toujours prêt au combat, je ne dors jamais vraiment!

En plus de vous avoir transporté en dehors de leur forêt magique, les nymphes vous ont donné un petit coup de pouce (vous recouvrez le statut sain et récupérez 10 points de vie). Malheureusement, elles vous ont aussi débarrassé des objets maudits en votre possession (vous devez rayer tous les objets et pièces de brume de votre fiche de personnage).

Sur la carte, allez directement à La Route des Fées (#90) sans lancer le dé des rencontres aléatoires.

118

Il y a beaucoup de mobilier en paille tressée : des tabourets, des tables, des étagères…

– Hé, maître, viens voir ça ! crie Jack du fond de la boutique.

Vous soupirez face au manque de savoir-vivre de votre petit compagnon.

– Où es-tu passé, encore ?

– Regarde, il y a même des équipements de combat ! dit-il en montrant un bâton de druide en paille.

– On peut vraiment se battre avec ça ?!

L'épouvantail arrête de tresser et vous répond :

– Bien sûr ! Mais ils ne servent qu'une fois. La paille, ça ne vaut pas le fer ou le bois.

– Ils sont magiques, hein ? demande Jack tout excité.

– Ils ont effectivement un petit quelque chose, répond-il énigmatique. Chaque objet coûte 5 pièces d'argent.

L'épouvantail ne rachètera qu'un seul objet : une fourche, pour le prix attractif de 10 pièces d'argent.

OBJETS	EMPL.	PRIX
ÉPÉE DE PAILLE	Main droite	5 pièces d'argent
Réservée aux guerriers, ajoute 1 point aux dégâts infligés à chaque assaut pendant un seul combat		
FLÈCHES EN BLÉ DUR	Main droite	5 pièces d'argent
Réservées aux archers, ajoutent 1 point aux dégâts infligés à chaque assaut pendant un seul combat		
BÂTON DE PAILLE	Main droite	5 pièces d'argent
Réservé aux druides, ajoute 1 point aux dégâts infligés à chaque assaut pendant un seul combat		
BOUCLIER DE PAILLE	Main gauche	5 pièces d'argent
Réservé aux guerriers, ajoute 2 points d'habileté pendant un seul combat		
CHAPEAU D'ORGE TRESSÉ	Tête	5 pièces d'argent
Tous les profils, annule toutes les blessures reçues pendant un seul assaut		
VÊTEMENTS DE PAILLE	Corps	5 pièces d'argent
Tous les profils, enlèvent 1 point aux blessures reçues à chaque assaut pendant un seul combat		

Soudain, une voix tonne au dehors, annonçant probablement l'arrivée du maître des lieux.

– Que se passe-t-il, ici ?

Allez au **87**.

119

Les premiers arbustes vous font penser à des êtres tordus agonisant sous l'effet d'une cruelle torture. Vous avez l'étrange impression d'être observé. Lorsque des murmures langoureux titillent vos oreilles, vous faites volte-face. Votre sang se glace. Les arbres bougent lentement en émettant une complainte hypnotique. Vous devez vous échapper avant d'être complètement encerclé.

Tentez votre chance. Chanceux, allez au **36**. Malchanceux, allez au **12**.

120

Face à vous, une vaste plaine rejoint l'horizon brumeux. L'herbe haute ondule au gré de la douce brise caressant votre visage. Au loin, vous remarquez une clairière entourée de constructions de bois. Lorsque vous y arrivez, des dizaines d'enfants accourent. Aucun d'eux n'a plus de sept ou huit ans, mais ils sont pourtant habillés comme des travailleurs paysans.

— Bonjour, les enfants. Où sont vos parents ? Je souhaiterais discuter avec eux.

En guise de réponse, un garçon au regard sévère vous défie.

— Ici, c'est notre terrain de jeu ! Pas de parents, pas de corvées, pas de trucs sérieux ! Juste des jeux !

Les autres approuvent bruyamment. Puis, une jeune fille aux longs cheveux blonds s'approche et vous fixe de ses magnifiques yeux verts.

— Voulez-vous jouer avec nous ?

Jack s'interpose et vous coupe la parole.

— Oui, bien sûr ! Je suis imbattable au jeu de la cachette !

— Oh, une grenouille parlante ! Quel merveilleux compagnon de jeu ! D'accord, jouons au jeu de la cachette !

Voyant la situation vous échapper, vous exprimez votre désaccord.

— Désolé, nous n'avons pas le temps de nous amuser, nous…

Les enfants courent dans tous les sens et disparaissent derrière les maisons.

— Non, arrêtez ! Je n'ai pas le temps de jouer, j'ai dit !

Mais votre supplique reste sans effet.

— Et si je refuse de jouer avec vous ? tentez-vous, menaçant.

— Eh bien vous resterez ici tout le temps ! Nous, on va s'amuser avec vous de toute façon. Si vous voulez partir, trouvez la sortie !…

— Mais… Hé ! Où est mon cheval ?

— Entre deux pouffements, une voix aiguë vous répond.

— Pas besoin de cheval pour jouer ! Ne vous inquiétez pas. Il n'est pas loin et ne risque rien. Bon, on joue ?…

Allez au **4**.

121

Accoudé au bastingage, vous contemplez les flots. Soudain, un gros poisson ailé jaillit des eaux. Cette répugnante créature est capable de voler et ses mâchoires ont l'air d'être particulièrement meurtrières ! Il faut affronter cette erreur de la nature.

Lorsque le cadavre tombe dans l'eau, ses congénères s'empressent de le dévorer dans un bouillonnement de sang verdâtre. Cet océan regorge vraiment d'horribles créatures.

Allez au **45**.

122

Une heure plus tard, vous arrivez à un croisement. Un vieux panneau moisi est couché par terre. Heureusement, les inscriptions gravées sont encore visibles.

(↑ Nord) Belitranne - 15 km
(← Ouest) Port Lichel - 15 km
(→ Est) Aubannée - 10 km

PIRANHA AILÉ

Habileté : 6 Points de vie : 15

Dans un ravin, vous remarquez une vieille carriole cassée recouverte de lierre. Près de l'embranchement se trouve un autel de bois délabré.

Pour fouiller la carriole, allez au **6**. Pour vous approcher de l'autel, allez au **16**. Si vous préférez quitter cet endroit, retournez sur la carte à la Forêt des Murmures pour choisir votre prochain déplacement. Vous pouvez aller à Port Lichel (#110) ou aux Monts Lockern (#100). N'oubliez pas de jouer la règle des rencontres aléatoires.

123

– Vous pouvez dormir ici. La paille est fraîche et confortable. Je ferai attention de ne pas vous réveiller.

Vous la remerciez pour sa gentillesse et vous vous installez confortablement pour finir la nuit (vous regagnez 5 points de vie). Au petit matin, les ruines ont réapparu et tout le monde a disparu. Vous reprenez votre voyage et quittez ce village étrange.

Sur la carte, retournez à Mézanté pour faire votre prochain déplacement. Vous pouvez aller aux Vergers (#80) ou aux Champs de Céréales (#70). N'oubliez pas de jouer la règle des rencontres aléatoires.

124

Plus vous montez, plus la roche devient blanche et éblouissante. Vous arrivez au pied d'un immense escalier bordé de majestueuses sculptures d'aigles. Jack saute sur votre épaule.

— Tu ne veux pas monter toi-même, Jack ?

— Heu… Non, je ne vois pas l'intérêt.

— Ces aigles te font peur ou quoi ?

— Bien sûr que non, voyons ! C'est juste que… Enfin euh…

— Je sais, tu as la flemme !

Le silence et la grimace de votre petit compagnon prouvent que vous avez vu juste. Vous laissez votre cheval et gravissez les marches usées par le temps.

La vue est magnifique. La baronnie de Shap s'étale devant vous comme une carte géante. Entre les forêts, vous reconnaissez la plaine saccagée que vous venez de traverser. À l'ouest, le bleu du grand océan se confond avec le ciel. Au nord, une étrange brume grise bardée d'éclairs chatoyants masque votre destination. Vous soupirez de dépit en imaginant que vous allez devoir traverser ça.

Au sommet de la montagne se dresse un temple de marbre blanc aux structures compliquées. Il s'agit d'un assemblage de piliers reliés par des corniches aux angles bizarres. Étrangement, malgré un soleil resplendissant, aucune ombre ne vient assombrir le sol.

Vous explorez les lieux, mais ne trouvez aucun autel ni endroit où déposer une quelconque offrande.

– Tu te rends compte, maître, explique Jack en lisant son encyclopédie. Le simple fait de venir ici permet de recevoir la bénédiction de Solaris. Ça valait quand même le coup de monter quelque marches…

Vous restez quelque peu dubitatif devant la mauvaise foi de votre petit compagnon. Finalement, vous redescendez les escaliers, récupérez votre cheval et continuez votre route.

Notez que vous avez bien reçu la bénédiction de Solaris.

Sur la carte, retournez aux Monts Lockern pour faire votre prochain déplacement. Vous pouvez aller à Port Lichel (#110) ou à Belitranne (#120). N'oubliez pas de jouer la règle des rencontres aléatoires.

125

— Bon seigle, mais c'est bien sûr ! Des êtres vivants ! Vous êtes des êtres vivants, perdus dans les champs maudits ! Hahahaha…

Son rire claquetant vous rappelle de mauvais souvenirs.

ÉPOUVANTAIL SOLITAIRE

Habileté : 2 Points de vie : 21

– Seuls les inertes ont le droit de vivre ici !

Il prend une fourche et se jette sur vous ; bien décidé à vous rendre inerte à jamais.

Si vous réussissez à diminuer ses points de vie à 10 ou moins, épouvanté par votre habileté, il jette sa fourche et se rend.

– Laissez-moi vivre, par pitié ! Je ne veux pas redevenir inerte !

– Indiquez-nous le chemin pour aller au village, ou sinon !…

– Prenez le chemin de droite, puis prenez deux fois à droite, à gauche, à droite, deux fois à gauche, à droite et enfin trois fois à gauche. Vous arriverez au village.

Pas vraiment certain d'avoir tout enregistré, vous le laissez tranquille et partez à toute vitesse.

Allez au **57**.

126

Une nuée de chauve-souris émerge brusquement. Vous êtes sévèrement griffé (vous perdez 3 points de vie).

Après cette mésaventure, continuez votre voyage au **11**.

127

Au bout de quelques minutes, vous tombez sur un village peuplé d'épouvantails ! Ils vaquent nonchalamment à leurs occupations. Quelques maisons de paille sont regroupées autour d'une estrade de blé tressé sur laquelle se trouve un trône de maïs.

Dès votre arrivée, les habitants se mettent à chuchoter et vous lancent des regards craintifs. Qu'allez-vous faire ?

Vous diriger vers un groupe d'épouvantails au **78** ? Observer l'estrade de plus près au **98** ? Jeter un œil aux ouvrages de paille au **118** ? Quitter le village au **138** ?

128

– Je suis désolé, mais je dois me rendre à Shap. J'ai besoin de toutes mes potions.

Déçus, ils manifestent bruyamment leur indignation par des huées et des cris.

– De toute façon, vous n'êtes pas loin de Wello, reprenez-vous. Vous y arriverez cet après-midi. Là-bas, ils vous aideront. Je vous le promets.

– Dites-leur que vous venez de la part de Jack, précise votre petit compagnon.

Les paysans repartent en maugréant. Les pleurs déchirants des fillettes résonnent encore à vos oreilles quand vous relancez votre cheval au galop.

En route, Jack ne manque pas l'occasion de vous reprocher de l'avoir interrompu.

Continuez votre course au **2**.

129

Ces arbres sont impressionnants. Leurs troncs massifs supportent des branches chargées de grandes feuilles d'un magnifique bleu-vert. Au bout des ramures pendent des poires violacées ressemblant à de petites aubergines. Sautant sur votre tête, Jack réussit à en récupérer une.

— Ça sent bon et ça a l'air succulent ! dit-il en tâtant la chair tendre du fruit. Je ne sais pas par quel bout commencer…

Vous examinez un fruit et arrivez à la même conclusion que lui.

Si vous voulez y goûter, allez au **43**. Si vous préférez éviter ce genre d'expérience, allez au **76**.

130

Ici, la plaine est couverte d'herbe pourrie. Une étrange et inquiétante brume multicolore vous barre le passage. C'est le dernier rempart à franchir pour atteindre la cité de Shap. Vous avancez d'un pas décidé, mais vous vous heurtez rapidement à un mur invisible. Vous ne vous attendiez pas à celle-là !

Si vous avez au moins un objet de brume (sauf les pièces et les potions), allez au **28**. Si vous voulez utiliser une bénédiction divine, allez au **58**. Si vous avez une larme de cristal et que vous souhaitez l'utiliser, allez au **68**. Si vous n'avez rien de tout ça, allez au **108**.

131

La large voie devient progressivement un étroit sentier envahi d'herbes flétries. Lancez un dé et ajoutez 190 au résultat. Allez au paragraphe correspondant pour y livrer un combat aléatoire.

Si vous survivez à cette rencontre, allez au **69**.

132

– Viens Jack, on va se cacher dans la charrette.

— Je croyais que tu ne voulais pas jouer !

— Figure-toi que je n'ai pas vraiment le choix, répondez-vous agacé.

— Mais, maître, tu fatigues ! C'est nous qui devons chercher les autres et pas le contraire !

— Jaaack ! rouspétez-vous.

Votre compagnon s'exécute en marmonnant quelque chose à propos d'une girouette. Mais vous n'y prêtez pas attention.

L'attente est longue et vous avez du mal à maintenir Jack en place. Mais la stratégie de la fillette porte ses fruits lorsqu'un gamin vous découvre.

— Je les ai trouvés ! Ils sont là !

— Félicitations ! lui annoncez-vous. Vous nous avez trouvés, vous avez gagné au jeu de la cachette !

— Hein ? répond le garçon à la mine déconfite. Ha non, non, c'est vous qui deviez…

Mais sa voix s'évapore et tout le village disparaît, laissant la plaine complètement déserte. Plus le moindre enfant à l'horizon !

Vous apercevez votre cheval. Il broute tranquillement des brins d'avoine. Jack et vous échangez des regards incrédules.

Finalement, vous repartez en direction de la brume miroitante baignant l'horizon.

Sur la carte, retournez à Belitranne pour continuer votre quête. Vous ne pouvez aller qu'au Brouillard Maléfique (#130). N'oubliez pas de jouer la règle des rencontres aléatoires.

133

Une fois de plus, Jack est encore parti à la recherche de tout ce qui pourrait être magique. Ne le voyant pas, vous l'appelez.

— Jack ! Où es-tu passé encore ?

— Ici, maître ! Viens vite !

Vous le rejoignez en soupirant de lassitude. Le batracien se tient fièrement près d'un cimeterre flamboyant planté dans le sol.

— Je suis sûr que c'est l'arme magique dont nous a parlé le vieux Pit, déclare-t-il triomphant. Prends-la, maître. À nous l'épée de feu anti-démon ultra puissante !

— Tu te rappelles que ce truc est censé être légèrement maudit ? précisez-vous, dubitatif.

— Tu supporteras bien une petite malédiction, dit-il en tirant votre bras vers le pommeau.

— Héé !

Vous n'arrivez malheureusement pas à empêcher votre main de toucher l'arme (vous obtenez le statut maudit)

— Jack ! Ce que tu peux être pénible, des fois ! fulminez-vous.

Soudain, le cimeterre se met à vibrer. Horrifié, vous voyez les autres épées rouillées se nimber d'un halo bleuté. Elles s'envolent et filent droit sur vous ! Votre mauvais pressentiment se confirme : vous allez devoir vous battre. Comble de malheur, ce satané cimeterre maudit reste collé dans votre main !

Exceptionnellement, pour ce combat, calculez votre habileté en utilisant la caractéristique « dextérité » ; quel que soit votre personnage. Le guerrier bénéficie, grâce au

ÉPÉES MAUDITES

Habileté : 6 Points de vie : 25

cimeterre, d'un bonus de 2 points sur les dégâts infligés à chaque assaut.

Si vous gagnez ce combat, le cimeterre maudit se décolle enfin de votre main.

Vous pouvez l'emporter si vous le voulez, mais tant que vous l'avez en votre possession, vous devez garder le statut maudit en permanence (vous ne pouvez pas annuler ce statut et il ne disparaîtra que si vous abandonnez le cimeterre). Cette arme n'est utilisable en combat que par un guerrier, qui bénéficiera alors du bonus de 2 points sur les dégâts infligés à chaque assaut.

Retournez sur la carte à la Route des Fées pour faire votre prochain déplacement. Vous ne pouvez aller qu'à Belitranne (#120). N'oubliez pas de jouer la règle des rencontres aléatoires.

134

Après avoir vérifié les liens de votre jument, vous tentez de dormir. Les remous rendent votre sommeil précaire. Vous êtes réveillé par les premiers rayons du soleil (vous ne regagnez aucun point de vie). Votre embarcation avance lentement.

— Houaaah ! J'ai dormi comme un bébé, moi ! s'exclame Jack en bâillant. Cette barque est un vrai berceau.

— Tu as de la chance, moi je n'ai quasiment pas fermé l'œil.

Jack réfléchit.

— C'est louche, maître.

— Je ne vois pas pourquoi. Le courant et les remous m'ont gêné, c'est tout.

— Mais non ! Une fois de plus, tu ne comprends rien. D'après mon encyclopédie magique, cette rivière devrait s'écouler vers le sud-est. Or, le courant va dans l'autre sens !

— Effectivement, si la rivière est aussi maudite, nous sommes mal barrés.

Vous examinez l'étendue d'eau et constatez que la rivière s'écoule normalement sur l'autre moitié.

— Mais qu'est-ce que c'est que cette histoire ?

Tentez votre chance. Chanceux, allez au **29**. Malchanceux, allez au **47**.

135

En fait de boutique, Ebert vous guide vers une remise. Elle est envahie par des coffres mal rangés et par des étagères poussiéreuses. Un rapide inventaire vous permet de trouver les articles suivants :

OBJETS	EMPL.	PRIX
POTION MINEURE	Sac à dos	5 pièces d'argent
Permet de récupérer 10 points de vie		
ANTIDOTE	Sac à dos	5 pièces d'argent
Annule le statut empoisonné		
EAU BÉNITE	Sac à dos	5 pièces d'argent
Annule le statut maudit		
BOTTINES EN CUIR	Pieds	10 pièces d'argent
Tous les profils, ajoutent 1 point d'habileté		
PETIT BOUCLIER D'ÉBÈNE	Main gauche	10 pièces d'argent
Réservé aux guerriers, ajoute 1 point d'habileté		
CAPE	Corps	15 pièces d'argent
Tous les profils, augmente votre total maximum de points de vie de 3 points		
POTION DE DÉDOUBLEMENT	Sac à dos	30 pièces d'argent
Tous les profils, pas de blessures reçues sur un 1 ou un 2 lors d'un combat		

Quand vous aurez fini vos commissions, allez enfin vous coucher au **95**.

136

Un essaim de guêpes surgit et vous inflige de graves piqûres (vous perdez 5 points de vie et obtenez le statut empoisonné).

Après cette mésaventure, continuez votre voyage au **11**.

137

Vous vous rendez compte que le soldat est probablement le propriétaire de l'alliance trouvée au Poste Frontière. Si vous lui rappeliez le nom de son épouse, peut-être pourriez-vous engager une conversation plus constructive.

Malheureusement, vous l'avez lu distraitement. Et comme votre voyage et la nuit n'ont pas été de tout repos, vous avez du mal à vous en souvenir. N'ayant pas le temps de prendre la bague dans votre sac à dos, vous devez faire un petit effort de mémoire.

Si vous êtes équipé d'un chapeau de brume, allez immédiatement au **105**. Sinon, effectuez un jet de savoir (ND 6). Réussi, allez au **105**. Manqué, essayez autre chose au **15**.

138

Tout en gardant un œil sur les épouvantails, vous quittez ce lieu étrange. Peu après, vous arrivez dans un autre village. Il ressemble comme deux épis de maïs à celui que vous venez de quitter !

Si vous êtes magicien, allez immédiatement au **18**. Sinon, allez au **38**.

139

Les buissons épineux aux petites feuilles orangées regorgent de grappes de fruits rouges ressemblant à des petites cerises.

— Ça a l'air bon ! dit Jack en engloutissant une grappe complète.

— Hé ! C'est dangereux ! Tu ne sais même pas ce que c'est !

— C'est de l'aubépine, répond la grenouille la bouche pleine. Le goût n'est pas super, mais c'est bon pour la santé.

Vous goûtez un fruit, mais la chair aigre et farineuse vous le fait recracher instantanément.

— C'est horrible !

— Comme tout ce qui est bon pour la santé, taquine Jack un doigt en l'air.

Si vous voulez, vous pouvez prendre autant de grappes d'aubépine que vous voulez (chacune compte pour un objet dans votre sac à dos). La consommation d'une grappe vous guérira du statut empoisonné (si vous avez ce statut actuellement, vous pouvez le supprimer en vous forçant à manger une grappe tout de suite).

Qu'allez-vous faire maintenant ?

Pour explorer les arbustes noirs, allez au **109**. Pour aller voir les arbres plus larges, allez au **119**. Si vous ne l'avez pas déjà fait, vous pouvez aussi vous rapprocher des feuillus bleu-vert au **129**. Enfin, si vous préférez quitter cet endroit, retournez sur la carte aux Vergers pour choisir votre prochain déplacement. Vous pouvez aller aux Champs de Céréales (#70) ou passer par la Route des Fées (#90). N'oubliez pas de jouer la règle des rencontres aléatoires.

140

Vous entrez dans la boutique.

— Bienvenue dans la boutique de Wello, voyageur, déclare un homme maigre affable.

Vous examinez les nombreuses étagères. La présence d'équipement que Jeld n'a pas pu vous fournir vous soulage au plus haut point.

OBJETS	EMPL.	PRIX
POTION MINEURE	Sac à dos	5 pièces d'argent
Permet de récupérer 10 points de vie		
ANTIDOTE	Sac à dos	5 pièces d'argent
Annule le statut empoisonné		
EAU BÉNITE	Sac à dos	5 pièces d'argent
Annule le statut maudit		
ÉPÉE DE BASE	Main droite	10 pièces d'argent
Réservée aux guerriers, évite le malus de -3 aux dégâts infligés		
COTTE DE MAILLE	Corps	10 pièces d'argent
Réservée aux guerriers, évite le doublement des blessures reçues		
ARC DE BASE	Main gauche	10 pièces d'argent
Réservé aux archers, évite le malus de -3 aux dégâts infligés		
FLÈCHES DE BASE	Main droite	10 pièces d'argent
Réservées aux archers, évitent le malus de -3 aux dégâts infligés		
VESTE DE CUIR DE BASE	Corps	10 pièces d'argent
Réservée aux archers, évite le doublement des blessures reçues		

OBJETS	EMPL.	PRIX
BÂTON DE BASE	Main droite	10 pièces d'argent
Réservé aux druides, évite le malus de -3 aux dégâts infligés		
TUNIQUE DE BASE	Corps	10 pièces d'argent
Réservée aux druides, évite le doublement des blessures reçues		
BAGUETTE MAGIQUE DE BASE	Main droite	10 pièces d'argent
Réservée aux magiciens, évite le malus de -3 aux dégâts infligés		
TOGE DE BASE	Corps	10 pièces d'argent
Réservée aux magiciens, évite le doublement des blessures reçues		

Quand vous aurez fini vos commissions, retournez au **1** pour continuer votre route.

191

Sur le bord de la route, de l'orge s'agite soudainement.

ORGE ÉTRANGLEUSE

Habileté : 2 Points de vie : 10

— Attention, maître ! Les tiges frétillent !

Les plants s'enroulent autour des pattes de votre monture et grimpent vers vous à toute vitesse ! Vous avez juste le temps de sauter à terre pour passer à l'offensive.

Vainqueur, vous vous délectez de fouler l'orge inerte pour nettoyer vos semelles.

Retournez sur le plan ou au paragraphe d'où vous venez.

192

Sur le bord du chemin, un épouvantail s'anime. L'assemblage de tissus et de foin extirpe une fourche de son corps.

— Attention ! C'est un épouvantail !

Il est bien décidé à vous embrocher (si vous combattez avec une fourche, vous bénéficiez d'un bonus de 1 aux dégâts infligés à chaque assaut).

Si vous tuez ce monstre de paille, vous pouvez emporter sa fourche. Mais seul le guerrier peut s'en servir comme d'une arme en combat.

ÉPOUVANTAIL ESPIÈGLE

Habileté : 2 Points de vie : 20

Retournez sur le plan ou au paragraphe d'où vous venez.

193

Vous évitez de justesse un sanglier déboulant soudainement sur le chemin.

— Prends garde, maître ! Il y a des traversées d'animaux sauvages sur cette route !

Mais, au lieu de s'enfuir, l'animal s'arrête et grogne. Il charge, bien décidé à vous faire mordre la poussière.

Si vous tuez cette créature, vous pouvez emporter ses défenses pour les vendre dans une boutique. La paire vaut 2 pièces d'argent.

Retournez sur le plan ou au paragraphe d'où vous venez.

194

Une immense toile d'araignée vous barre le passage.

— J'ai comme un mauvais pressentiment, maître.

À peine avez-vous stoppé votre cheval qu'une énorme araignée surgit pour vous dévorer !

Si vous tuez ce monstre, vous pouvez récupérer son croc venimeux et l'utiliser lors d'un unique combat (ajoute 1 point de dégâts par assaut), ou le vendre dans une boutique (sa valeur est de 1 pièce d'argent).

Si vous avez perdu 10 points de vie ou plus dans ce combat, notez que vous avez le statut empoisonné.

Retournez sur le plan ou au paragraphe d'où vous venez.

ARAIGNÉE CARNIVORE

Habileté : 5 Points de vie : 20

195

Alors que vous avancez tranquillement, un frisson vous glace le sang. L'air se trouble et devient bleuté. Une complainte se fait entendre et le visage livide d'une jeune fille triste se matérialise devant vous.

Elle tend la main et vous parle, mais de ses lèvres ne sort pas le moindre son. Soudain, elle se transforme en un fantôme squelettique terrifiant ! Combattez l'âme maudite !

Si vous êtes vainqueur, l'esprit disparaît sans laisser de trace.

Si vous avez perdu 10 points de vie ou plus dans ce combat, notez que vous avez le statut maudit.

Retournez sur le plan ou au paragraphe d'où vous venez.

196

Soudain, dans votre dos, le bruit d'un crépitement et une intense chaleur vous alertent. Vous faites volte-face et laissez échapper un cri de terreur en voyant un squelette enflammé de plus de deux mètres de haut !

— Ce sac d'os est chaud bouillant, maître !

Ses intentions sont simples, il veut juste dévorer votre âme après avoir carbonisé votre enveloppe charnelle.

Si vous tuez ce monstre, vous pouvez récupérer son crâne de feu. Il vous permettra d'infliger 5 points de dégâts à un adversaire en le lui lançant dessus (une seule utilisation). Bien entendu, cet objet est invendable. Personne ne voudrait acheter ça !

Retournez sur le plan ou au paragraphe d'où vous venez.

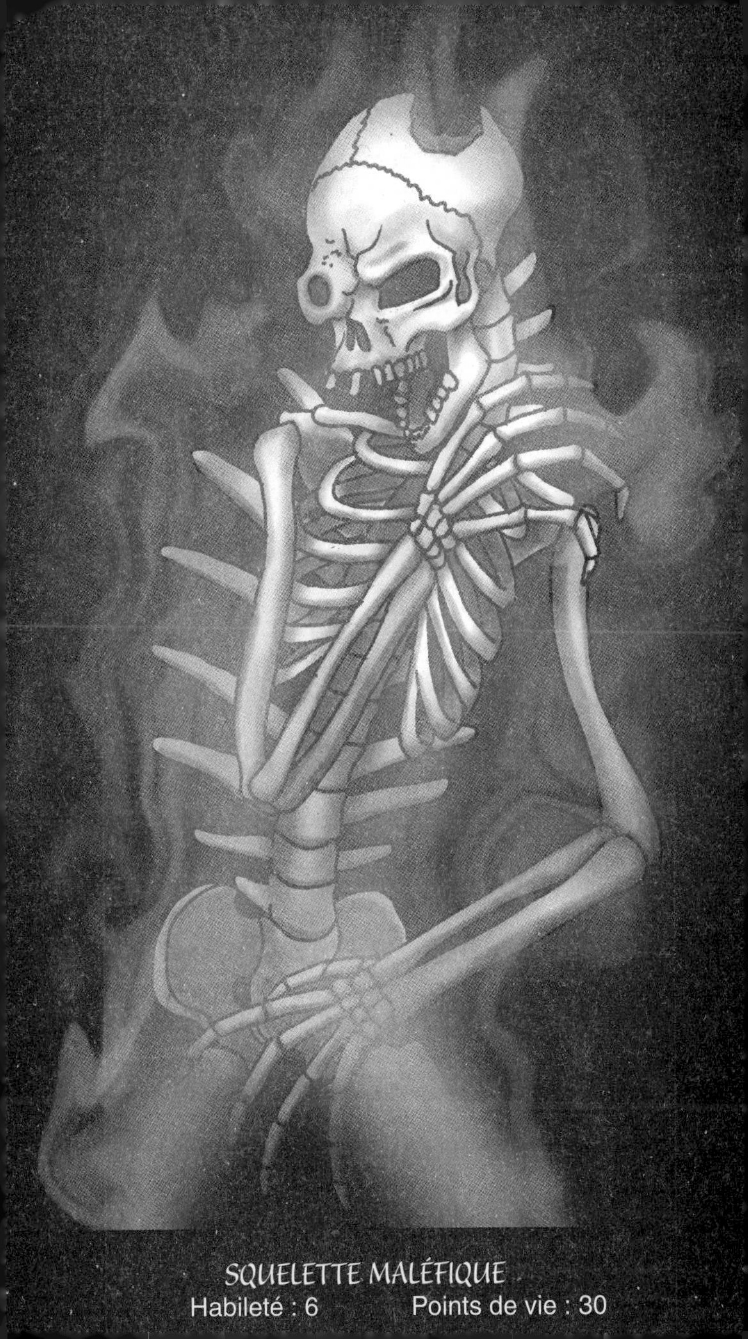
SQUELETTE MALÉFIQUE
Habileté : 6
Points de vie : 30

200

Le chemin devient une superbe route pavée. Vous franchissez un somptueux pont en marbre. Dès que vous approchez de la porte du mur d'enceinte, une escouade de gardes surgit en rang serré. En un instant, vous voilà encerclé. Un soldat en armure s'avance.

— Qui êtes-vous ? Que venez-vous faire ici ? demande-t-il sèchement.

— Hey, ho ! On se calme, bonhomme métallique ! lance Jack. Après ce que nous venons de traverser, il me semble que nous avons droit à d'autres égards…

— Je… Oui, petite grenou…

Surpris par l'intervention de votre culotté compagnon, l'officier reste bouche bée. Le sourire aux lèvres, vous sortez l'anneau seigneurial que Jeld vous avait confié et le lui mettez sous le nez.

— Je suis en mission diplomatique. Je sollicite une audience auprès de la baronne Joline.

— Bien. Veuillez me suivre, messager de Wello.

Les gardes s'alignent et se mettent au garde-à-vous. Vous suivez leur chef au fond de la ville fortifiée.

L'enceinte intérieure est protégée par des gardes en armure équipés d'arbalètes. Plus loin, un homme trapu de petite taille prend la relève de votre guide.

– Je suis le commandant en chef des armées de Shap. Je vais vous escorter jusqu'à la salle de réception de la baronne…

Vous traversez une nouvelle cour et vous vous engagez sur un chemin grimpant le long d'un énorme rocher. Au sommet se dresse la plus haute tour de la cité. Après une longue ascension, vous entrez dans les quartiers des nobles. Le militaire vous conduit dans un couloir de marbre rose dont les murs sont partiellement recouverts de quelques tableaux représentant la lignée des dirigeants de Shap. Après vous avoir offert une boisson rafraîchissante et une brioche, il vous fait patienter dans un vestibule.

– Gloups… Glou… Glou… Glou… Rheuuu !

– Jack, tu n'as aucune éducation.

— Désolé, maître. Mais j'avais faim. Tu veux ta brioche?

Sans prendre la peine de répondre, vous engloutissez rapidement le tout; avant que Jack ne le fasse.

Vêtus d'armures clinquantes et de casques à houppes de plumes noires, les gardes personnels de la baronne font leur apparition. Ils vous conduisent dans une grande salle dont le plafond se situe à plus de 10 mètres. De nombreux nobles discutent bruyamment.

Les gardes abaissent leurs hallebardes flamboyantes, vous stoppant net. Derrière les lames scintillantes, la baronne Joline de Shap vous observe longuement. C'est une femme âgée; comme en témoignent les multiples rides sillonnant son front et la maigreur de son visage. Il émane pourtant de sa personne une grande gentillesse et une beauté sous-jacente. Jadis, elle devait être une ravissante jeune femme. En vertu de tout cela, elle ne donne vraiment pas l'impression d'avoir suffisamment de trempe pour mener une guerre.

— Vous savez que vous êtes la première personne à venir ici depuis que l'abomination Marfaz nous a bloqués avec son brouillard maléfique ? déclare-t-elle enfin.

— Justement, je viens de le détruire, dites-vous fièrement.

— Qui, Marfaz ?!

— Non, le brouillard.

Un brouhaha d'étonnement et d'excitation parcourt l'assistance.

— Nous vous remercions infiniment.

— Malheureusement, je suis aussi porteur d'une grave nouvelle. Il y a trois jours, Telfor de Wello a été tué par un ours maudit.

La baronne affiche un air désolé. Vous haussez le ton pour être sûr d'être entendu.

— Je suis envoyé par le Roi de Gardolon, suite à une demande officielle de Telfor de Wello. Son fils Jeld nous a expliqué que des démons avaient envahi les baronnies du Sud. Votre cité étant injoignable, je suis venu pour rétablir le contact entre vos deux baronnies.

— Et aussi pour combattre les démons ! ajoute fièrement Jack.

— Votre grenouille est magique ?

— Si on veut. Elle…

— Je suis un che-va-lier !

Sous l'impulsion de votre brave compagnon, les visages se dérident peu à peu. Une lueur d'espoir semble renaître dans l'assemblée. La discussion se poursuit longuement et se termine finalement par une salve d'applaudissements. Émue, la baronne Joline vous prend la main et déclare haut et fort :

— Merci. Merci infiniment. Maintenant que le brouillard maléfique a disparu, nous allons pouvoir préparer l'offensive. Ensemble, nous combattrons les créatures démoniaques qui ont envahi nos terres.

Jack est surmotivé par cette déclaration.

— Et je prendrai le commandement ! Sus à Marfaz !

La baronne ne peut s'empêcher de rire.

— Allez vous restaurer et vous reposer, maintenant. Vous êtes mon invité d'honneur.

— Et moi ? s'exclame Jack.

— Mais c'est à vous que je parlais, chevalier Jack.

— Euh... Excusez-moi. C'est que, c'est l'habitude...

À SUIVRE...

Félicitations !

À l'issue de ce dangereux périple, vous êtes parvenu à prendre contact avec la baronne Joline. Grâce à vous, la cité de Shap est débarrassée du brouillard maléfique qui la coupait du monde. Mais vous savez maintenant que le principal responsable des troubles que connaît la région est le puissant démon Marfaz. Dans les murs de Shap, la contre-offensive se prépare. Mais elle s'annonce délicate et sera certainement synonyme de grands dangers.

Cette mission vous a permis de progresser. Voici donc les modifications que vous devez apporter à votre fiche de personnage :

- Ajoutez +1 à votre niveau (vous êtes plus expérimenté).

- Ajoutez +2 à vos points de vie (vous êtes plus endurant).
- 60 pièces d'argent vous sont offertes.

Vous gagnez aussi un nouveau talent. Il vous sera présenté dans le tome 2.

Vous pouvez dès maintenant faire des achats dans la boutique de Shap, qui est aussi ouverte sur le site internet : **www.avdj2.com**

Notez également que votre personnage a récupéré tous ses points de vie, ainsi que le statut sain, grâce aux bons soins des guérisseurs personnels de Joline.

Si vous possédez des objets ou des pièces de brumes, effacez-les de votre feuille de personnage, car il retourneront d'où ils viennent lors de la bonne nuit de repos que vous allez faire.

Nous espérons que vous vous êtes bien amusé avec ce tome d'*À Vous de Jouer* 2. Vous pouvez l'apprécier à nouveau en incarnant d'autres personnages, ou faire tout simplement d'autres choix, pour en découvrir plus sur la baronnie de Shap. N'hésitez pas à nous donner votre avis dans notre forum : **www.seriesfantastiques.com**

Dans le tome 2 intitulé *Les légions du mal,* vous devrez traverser les monts de la Lune afin de prévenir le baron de Wello d'une invasion démoniaque. Réservez dès maintenant votre livre dans votre boutique préférée ; qu'elle soit sur internet ou au coin de la rue.

D'ici sa publication, venez vite nous rejoindre sur notre site internet : **www.avdj2.com.** Vous pourrez participer à des quêtes inédites, aussi passionnantes les unes que les autres. Et ce n'est pas tout. De nombreuses autres surprises vous y attendent.

À très bientôt. Les baronnies du Sud ont grand besoin de vous !...

Annexe : feuilles de personnage

Vous trouverez dans ces dernières pages un modèle de feuille de personnage que vous pourrez utiliser dans cette série.

Vous retrouverez également les feuilles de personnage (version couleur) en format imprimable sur notre site Web :

www.avdj2.com

N'oubliez pas que vous démarrez cette aventure avec les 50 pièces d'argent contenues dans la bourse que vous a confiée votre maître. C'est à vous de les utiliser pour vous équiper dès que vous en aurez l'occasion.

ARCHER

Nom
Statut
Vie (maximum : 50)
Monnaie (départ : 50 pa)

Table	Différence entre l'habileté du héros et de son adversaire					
	Défense			Attaque		
Lancer 1 dé (6 faces)	+D11	D10 - D6	D5 - D1	A0 - A5	A6 - A10	A11 +
1	héros : -7 adv : -4	héros : -6 adv : -4	héros : -5 adv : -4	héros : -4 adv : -4	héros : -3 adv : -4	héros : -2 adv : -4
2	héros : -6 adv : -4	héros : -5 adv : -4	héros : -4 adv : -4	héros : -3 adv : -4	héros : -2 adv : -4	héros : -1 adv : -4
3	héros : -6 adv : -5	héros : -5 adv : -5	héros : -4 adv : -5	héros : -3 adv : -5	héros : -2 adv : -5	héros : -1 adv : -5
4	héros : -5 adv : -5	héros : -4 adv : -5	héros : -3 adv : -5	héros : -2 adv : -5	héros : -1 adv : -5	héros : -1 adv : -5
5	héros : -5 adv : -6	héros : -4 adv : -6	héros : -3 adv : -6	héros : -2 adv : -6	héros : -1 adv : -6	héros : 0 adv : -6
6	héros : -4 adv : -6	héros : -3 adv : -6	héros : -2 adv : -6	héros : -1 adv : -6	héros : 0 adv : -6	héros : 0 adv : -6

Combat

Habileté	Bonus d'habileté	Bonus de dégâts	Autres bonus
03			

Caractéristiques

Dextérité	Perception	Savoir	Esprit	Chance
01	03	02	01	07

Talents

Esquive (TA)	Grâce à sa rapidité, l'archer peut éviter les coups adverses. Donc pas de dégâts reçus pendant 2 assauts consécutifs.

ARCHÈRE

Nom
Statut
Vie (maximum : 50)
Monnaie (départ : 50 pa)

Table	Différence entre l'habileté du héros et de son adversaire					
	Défense			Attaque		
	+D11	D10 - D6	D5 - D1	A0 - A5	A6 - A10	A11 +
Lancer 1 dé (6 faces) : 1	héros : -7 adv : -4	héros : -6 adv : -4	héros : -5 adv : -4	héros : -4 adv : -4	héros : -3 adv : -4	héros : -2 adv : -4
2	héros : -6 adv : -4	héros : -5 adv : -4	héros : -4 adv : -4	héros : -3 adv : -4	héros : -2 adv : -4	héros : -1 adv : -4
3	héros : -6 adv : -5	héros : -5 adv : -5	héros : -4 adv : -5	héros : -3 adv : -5	héros : -2 adv : -5	héros : -1 adv : -5
4	héros : -5 adv : -5	héros : -4 adv : -5	héros : -3 adv : -5	héros : -2 adv : -5	héros : -1 adv : -5	héros : -1 adv : -5
5	héros : -5 adv : -6	héros : -4 adv : -6	héros : -3 adv : -6	héros : -2 adv : -6	héros : -1 adv : -6	héros : 0 adv : -6
6	héros : -4 adv : -6	héros : -3 adv : -6	héros : -2 adv : -6	héros : -1 adv : -6	héros : 0 adv : -6	héros : 0 adv : -6

Combat

Habileté	Bonus d'habileté	Bonus de dégâts	Autres bonus
03			

Caractéristiques

Dextérité	Perception	Savoir	Esprit	Chance
01	03	02	01	07

Talents

Esquive (TA)	Grâce à sa rapidité, l'archère peut éviter les coups adverses. Donc pas de dégâts reçus pendant 2 assauts consécutifs.

DRUIDE

Nom
Statut
Vie (maximum : 45)
Monnaie (départ : 50 pa)

Table	Différence entre l'habileté du héros et de son adversaire					
	Défense			Attaque		
Lancer 1 dé (6 faces)	+ D11	D10 - D6	D5 - D1	A0 - A5	A6 - A10	A11 +
1	héros : -7 adv : -4	héros : -6 adv : -4	héros : -5 adv : -4	héros : -4 adv : -4	héros : -3 adv : -4	héros : -2 adv : -4
2	héros : -6 adv : -4	héros : -5 adv : -4	héros : -4 adv : -4	héros : -3 adv : -4	héros : -2 adv : -4	héros : -1 adv : -4
3	héros : -6 adv : -5	héros : -5 adv : -5	héros : -4 adv : -5	héros : -3 adv : -5	héros : -2 adv : -5	héros : -1 adv : -5
4	héros : -5 adv : -5	héros : -4 adv : -5	héros : -3 adv : -5	héros : -2 adv : -5	héros : -1 adv : -5	héros : -1 adv : -5
5	héros : -5 adv : -6	héros : -4 adv : -6	héros : -3 adv : -6	héros : -2 adv : -6	héros : -1 adv : -6	héros : 0 adv : -6
6	héros : -4 adv : -6	héros : -3 adv : -6	héros : -2 adv : -6	héros : -1 adv : -6	héros : 0 adv : -6	héros : 0 adv : -6

Combat

Habileté	Bonus d'habileté	Bonus de dégâts	Autres bonus
03			

Caractéristiques

Dextérité	Perception	Savoir	Esprit	Chance
01	02	01	03	07

Talents

Soins (Ta)	Le druide guérit de l'empoisonnement et récupère des points de Vie. +10 points de vie et annule le statut empoisonné.

DRUIDESSE

Nom
Statut
Vie (maximum : 45)
Monnaie (départ : 50 pa)

Table		Différence entre l'habileté du héros et de son adversaire					
		Défense			Attaque		
		+ D11	D10 - D6	D5 - D1	A0 - A5	A6 - A10	A11 +
Lancer 1 dé (6 faces)	1	héros : -7 adv : -4	héros : -6 adv : -4	héros : -5 adv : -4	héros : -4 adv : -4	héros : -3 adv : -4	héros : -2 adv : -4
	2	héros : -6 adv : -4	héros : -5 adv : -4	héros : -4 adv : -4	héros : -3 adv : -4	héros : -2 adv : -4	héros : -1 adv : -4
	3	héros : -6 adv : -5	héros : -5 adv : -5	héros : -4 adv : -5	héros : -3 adv : -5	héros : -2 adv : -5	héros : -1 adv : -5
	4	héros : -5 adv : -5	héros : -4 adv : -5	héros : -3 adv : -5	héros : -2 adv : -5	héros : -1 adv : -5	héros : -1 adv : -5
	5	héros : -5 adv : -6	héros : -4 adv : -6	héros : -3 adv : -6	héros : -2 adv : -6	héros : -1 adv : -6	héros : 0 adv : -6
	6	héros : -4 adv : -6	héros : -3 adv : -6	héros : -2 adv : -6	héros : -1 adv : -6	héros : 0 adv : -6	héros : 0 adv : -6

Combat

Habileté	Bonus d'habileté	Bonus de dégâts	Autres bonus
03			

Caractéristiques

Dextérité	Perception	Savoir	Esprit	Chance
01	02	01	03	07

Talents

Soins (Ta)	La druidesse guérit de l'empoisonnement et récupère des points de vie. +10 points de vie et annule le statut empoisonné.

GUERRIER

Nom
Statut
Vie (maximum : 50)
Monnaie (départ : 50 pa)

Table	Différence entre l'habileté du héros et de son adversaire					
	Défense			Attaque		
	+ D11	D10 - D6	D5 - D1	A0 - A5	A6 - A10	A11 +
Lancer 1 dé (6 faces) 1	héros : -7 adv : -4	héros : -6 adv : -4	héros : -5 adv : -4	héros : -4 adv : -4	héros : -3 adv : -4	héros : -2 adv : -4
2	héros : -6 adv : -4	héros : -5 adv : -4	héros : -4 adv : -4	héros : -3 adv : -4	héros : -2 adv : -4	héros : -1 adv : -4
3	héros : -6 adv : -5	héros : -5 adv : -5	héros : -4 adv : -5	héros : -3 adv : -5	héros : -2 adv : -5	héros : -1 adv : -5
4	héros : -5 adv : -5	héros : -4 adv : -5	héros : -3 adv : -5	héros : -2 adv : -5	héros : -1 adv : -5	héros : -1 adv : -5
5	héros : -5 adv : -6	héros : -4 adv : -6	héros : -3 adv : -6	héros : -2 adv : -6	héros : -1 adv : -6	héros : 0 adv : -6
6	héros : -4 adv : -6	héros : -3 adv : -6	héros : -2 adv : -6	héros : -1 adv : -6	héros : 0 adv : -6	héros : 0 adv : -6

Combat

Habileté	Bonus d'habileté	Bonus de dégâts	Autres bonus
03			

Caractéristiques

Dextérité	Perception	Savoir	Esprit	Chance
03	01	01	02	07

Talents

Hargne (TA)	Agressivité passagère qui permet d'augmenter les dégâts infligés. Dégâts infligés +5 pendant un assaut.

GUERRIÈRE

Nom
Statut
Vie (maximum : 50)
Monnaie (départ : 50 pa)

Table	Différence entre l'habileté du héros et de son adversaire					
	Défense			Attaque		
Lancer 1 dé (6 faces)	+ D11	D10 - D6	D5 - D1	A0 - A5	A6 - A10	A11 +
1	héros : -7 adv : -4	héros : -6 adv : -4	héros : -5 adv : -4	héros : -4 adv : -4	héros : -3 adv : -4	héros : -2 adv : -4
2	héros : -6 adv : -4	héros : -5 adv : -4	héros : -4 adv : -4	héros : -3 adv : -4	héros : -2 adv : -4	héros : -1 adv : -4
3	héros : -6 adv : -5	héros : -5 adv : -5	héros : -4 adv : -5	héros : -3 adv : -5	héros : -2 adv : -5	héros : -1 adv : -5
4	héros : -5 adv : -5	héros : -4 adv : -5	héros : -3 adv : -5	héros : -2 adv : -5	héros : -1 adv : -5	héros : -1 adv : -5
5	héros : -5 adv : -6	héros : -4 adv : -6	héros : -3 adv : -6	héros : -2 adv : -6	héros : -1 adv : -6	héros : 0 adv : -6
6	héros : -4 adv : -6	héros : -3 adv : -6	héros : -2 adv : -6	héros : -1 adv : -6	héros : 0 adv : -6	héros : 0 adv : -6

Combat

Habileté	Bonus d'habileté	Bonus de dégâts	Autres bonus
03			

Caractéristiques

Dextérité	Perception	Savoir	Esprit	Chance
03	01	01	02	07

Talents

Hargne (TA)	Agressivité passagère qui permet d'augmenter les dégâts infligés. Dégâts infligés +5 pendant un assaut.

MAGICIEN

Nom
Statut
Vie (maximum : 45)
Monnaie (départ : 50 pa)

Table	Différence entre l'habileté du héros et de son adversaire					
	Défense			Attaque		
Lancer 1 dé (6 faces)	+ D11	D10 - D6	D5 - D1	A0 - A5	A6 - A10	A11 +
1	héros : -7 adv : -4	héros : -6 adv : -4	héros : -5 adv : -4	héros : -4 adv : -4	héros : -3 adv : -4	héros : -2 adv : -4
2	héros : -6 adv : -4	héros : -5 adv : -4	héros : -4 adv : -4	héros : -3 adv : -4	héros : -2 adv : -4	héros : -1 adv : -4
3	héros : -6 adv : -5	héros : -5 adv : -5	héros : -4 adv : -5	héros : -3 adv : -5	héros : -2 adv : -5	héros : -1 adv : -5
4	héros : -5 adv : -5	héros : -4 adv : -5	héros : -3 adv : -5	héros : -2 adv : -5	héros : -1 adv : -5	héros : -1 adv : -5
5	héros : -5 adv : -6	héros : -4 adv : -6	héros : -3 adv : -6	héros : -2 adv : -6	héros : -1 adv : -6	héros : 0 adv : -6
6	héros : -4 adv : -6	héros : -3 adv : -6	héros : -2 adv : -6	héros : -1 adv : -6	héros : 0 adv : -6	héros : 0 adv : -6

Combat

Habileté	Bonus d'habileté	Bonus de dégâts	Autres bonus
03			

Caractéristiques

Dextérité	Perception	Savoir	Esprit	Chance
02	01	03	01	07

Talents

Foudre (TA)	Le magicien foudroie instantanément l'adversaire. Il inflige +10 dégâts pendant un assaut.

MAGICIENNE

Nom
Statut
Vie (maximum : 45)
Monnaie (départ : 50 pa)

Table — Différence entre l'habileté du héros et de son adversaire

Lancer 1 dé (6 faces)	Défense			Attaque		
	+D11	D10 - D6	D5 - D1	A0 - A5	A6 - A10	A11 +
1	héros : -7 adv : -4	héros : -6 adv : -4	héros : -5 adv : -4	héros : -4 adv : -4	héros : -3 adv : -4	héros : -2 adv : -4
2	héros : -6 adv : -4	héros : -5 adv : -4	héros : -4 adv : -4	héros : -3 adv : -4	héros : -2 adv : -4	héros : -1 adv : -4
3	héros : -6 adv : -5	héros : -5 adv : -5	héros : -4 adv : -5	héros : -3 adv : -5	héros : -2 adv : -5	héros : -1 adv : -5
4	héros : -5 adv : -5	héros : -4 adv : -5	héros : -3 adv : -5	héros : -2 adv : -5	héros : -1 adv : -5	héros : -1 adv : -5
5	héros : -5 adv : -6	héros : -4 adv : -6	héros : -3 adv : -6	héros : -2 adv : -6	héros : -1 adv : -6	héros : 0 adv : -6
6	héros : -4 adv : -6	héros : -3 adv : -6	héros : -2 adv : -6	héros : -1 adv : -6	héros : 0 adv : -6	héros : 0 adv : -6

Combat

Habileté	Bonus d'habileté	Bonus de dégâts	Autres bonus
03			

Caractéristiques

Dextérité	Perception	Savoir	Esprit	Chance
02	01	03	01	07

Talents

Foudre (TA)	La magicienne foudroie instantanément l'adversaire. Elle inflige +10 dégâts pendant un assaut.

INVENTAIRE

Main droite	Main gauche	Tête	Corps
Anneau droit	**Anneau gauche**	**Cou**	**Pieds**

NOTES